Lucília Garcez

Outono

luciliagarcez@gmail.com

1ª edição – Outubro de 2021

Grafia atualizada segundo o Acordo Ortográfico da Língua Portuguesa de 1990, que entrou em vigor no Brasil em 2009.

Editor e Publisher
Luiz Fernando Emediato

Diretora Editorial
Fernanda Emediato

Edição e revisão
Clara Arreguy

Assistente Editorial
Ana Paula Lou

Capa
Alan Maia

Projeto Gráfico e Diagramação
Leonardo Vieira

Dados Internacionais de Catalogação na Publicação (CIP) de acordo com ISBD

G2150 Garcez, Lucília
Outono / Lucília Garcez. - São Paulo :
Geração Editorial, 2021.
184 p. : il. : 15,6cmx 23cm.

ISBN: 978-65-5647-037-5

1. Literatura brasileira. 2. Romance. I. Título.

CDD 869.8992
2021-2859 CDU 821.134.3(81)

Elaborado por Odilio Hilario Moreira Junior - CRB-8/9949

Índice para catálogo sistemático:
1. Literatura brasileira : Romance 869.89923
2. Literatura brasileira : Romance 821.134.3(81)-31

GERAÇÃO EDITORIAL
Rua João Pereira, 81 – Lapa
CEP: 05074-070 – São Paulo – SP
Telefone: +55 11 3256-4444
E-mail: geracaoeditorial@geracaoeditorial.com.br
www.geracaoeditorial.com.br

Impresso no Brasil
Printed in Brazil

Para Vladimir, que me ensinou a acreditar na força da arte.

... o tempo sabe ser bom, o tempo é largo, o tempo é grande, o tempo é generoso, o tempo é farto, é sempre abundante em suas entregas: amaina nossas aflições, dilui a tensão dos preocupados, suspende a dor aos torturados, traz a luz aos que vivem nas trevas, o ânimo aos indiferentes, o conforto aos que se lamentam, a alegria aos homens tristes, o consolo aos desamparados, o relaxamento aos que se contorcem, a serenidade aos inquietos, o repouso aos sem sossego, a paz aos intranquilos, a umidade às almas secas, satisfaz os apetites moderados, sacia a sede aos sedentos, a fome aos famintos, dá seiva aos que necessitam dela...

Raduan Nassar – *Lavoura arcaica*

Gosto de quero mais

Dad Squarisi

Lucília Garcez é devoradora de livros. Além de ler autores novos, permite-se o luxo de reler os que mais apreciou ao longo da vida. Entre eles, Proust e Guimarães Rosa. Era de se esperar – e nada mais natural seria – que se aventurasse no universo da ficção, em cujas águas navega com desenvoltura. Não foi o que aconteceu. Antes escreveu obras técnicas e infantojuvenis.

Só agora nos brinda com o primeiro romance. *Outono m*ergulha na vida de Ângela. Num texto ágil, quase reportagem, a personagem atravessa fases da história do Brasil que lhe marcam a vida. É casada com Danilo, jovem idealista que lutou contra a ditadura e engrossou a lista dos torturados e desaparecidos cujo corpo a Comissão da Verdade se empenha em localizar.

Não se trata de romance de denúncia social. Os acontecimentos trágicos funcionam como pano de fundo, aparentemente secundários, mas permeiam a narrativa como permeiam a vida nacional até hoje. Ângela é, ao mesmo tempo, espectadora e vítima das atrocidades cometidas então. Em nenhum momento apela para a pieguice ou para o sentimentalismo barato. Talvez por isso a narrativa seja tão pungente.

A primavera da vida salta para o outono. Madura, bem-sucedida profissionalmente como paisagista, Ângela passa a frequentar uma livraria de rua próxima do apartamento onde mora. Lá conhece o dono, Francisco, mais jovem que ela, também apaixonado por livros e grande conhecedor de autores e obras. O encantamento é mútuo. A aproximação também. A entrega se impõe.

Outra vez o destino intercepta a trajetória amorosa. Dessa vez, a mudança do perfil da economia. As livrarias de rua foram tragadas pelas grandes redes em shoppings. O drama da nova realidade aparece como pano de fundo. A face cruel do desemprego fecha portas e mata amores. Também perpassa as páginas o preconceito da diferença de idade. Mulher mais velha namorar homem mais novo causa estranheza e reprimendas. Em pleno século XXI!

Terminada a leitura, fica uma certeza. Em *Outono*, sobressai algo mais que os acontecimentos narrados. Trata-se do amor à liberdade. Seja na luta contra a ditadura, seja na busca por bons livros, seja no respeitar o voo do outro, mesmo que lhe cause profunda dor, Ângela alicerça a vida no valor que rejeita grilhões tanto físicos quanto psicológicos. Daí o encantamento e a universalidade de *Outono*. E a torcida para que venham outros, outras estações.

Indispensável à memória do país

Rosângela Vieira Rocha

"Não ao acordo MEC-Usaid" foi a primeira pichação que vi na rodoviária de Brasília, atordoada, meio dormida, na madrugada de 1º de janeiro de 1968, recém-chegada do interior de Minas. Praticamente uma menina, não tinha ideia do que a frase significava.

Tive tempo de aprender e de viver muito do que ocorreu naqueles complexos anos – tristes pela falta de democracia e de liberdade, pela censura, pelas prisões daqueles que ousaram se rebelar contra o sistema – e paradoxalmente alegres porque a adolescência só acontece uma vez em nossas vidas.

Mas percebo que ainda há grandes lacunas sobre os fatos daquele período, e que, como escreveu Lucília Garcez, "as novas gerações precisam saber o que aconteceu no país. E é necessário não esquecer para que não voltem a ocorrer as atrocidades daquele período". Esse desconhecimento tem nos custado muito caro, sem dúvida.

Outono, o primeiro romance da escritora, é uma espécie de aula magistral sobre aqueles anos. Não que a autora se perca em didatismos, afinal trata-se de um romance, construído a partir de uma pesquisa extremamente bem-feita sobre os fatos significativos que compuseram e fizeram andar (e desandar) a roda da nossa história. Só isso – que já é muito – constitui justificativa suficiente para a leitura deste livro.

Mas há mais, bem mais: concomitantemente à narração quase jornalística, pela exatidão, dos acontecimentos daquele período sombrio, Lucília conta a história de Ângela, uma paisagista casada com um militante político que é preso e desaparece, sendo dado oficialmente como morto, anos depois, pelas próprias forças da repressão. Grávida na época da prisão, ela dá à luz uma filha, Vitória, que nunca conhecerá o pai.

Em meio à tristeza do luto que não se encerra porque não há um morto a ser velado e que permanece para sempre insepulto, Ângela vai vivendo como pode, rodeada por plantas, que fazem parte do seu trabalho, livros, que adora, e filmes. As referências literárias e cinematográficas são significativas, constituindo um interessante mapa a ser explorado pelo leitor e servindo de bússola à compreensão da personagem e do período histórico.

Trata-se de uma história bela e envolvente, contada em linguagem fluida, indispensável à construção da memória do país, ainda tão falha. É também leitura obrigatória para os que não viveram aqueles anos ou para os que viveram, mas mantiveram, por um ou outro motivo, os olhos vendados para o que ocorria à sua volta.

É época das hortênsias. A loja de flores e mudas de plantas está impregnada de um perfume úmido. Escolho alguns vasos e mando entregar no endereço do meu cliente. Embora esteja satisfeita por ter cumprido mais uma tarefa, saio arrastando comigo as antigas, indeléveis marcas na alma.

Lentamente vai terminando mais um dia. Chove. O cheiro da terra molhada ressuscita velhos sentimentos, lembranças. A tarde cai e o movimento cíclico da cidade começa a se agitar com as pessoas saindo do trabalho, das lojas, dos bancos, das escolas.

Deixo o burburinho da rua e mergulho em busca do silêncio da pequena livraria recentemente aberta no caminho de casa. É minha primeira visita. Na entrada há um salão forrado de estantes em todos os lados. No meio do espaço, estantes menores e mesas com livros selecionados. Ao fundo um balcão com o caixa e o que parece ser um café ainda em organização, dando para um jardim externo. Umas poucas mesinhas, uma vitrine refrigerada ainda vazia, uma estante com caixas de café, xícaras, pratos, copos... A iluminação é ótima, enriquecida por aberturas de vidro no teto. Há algumas poltronas colocadas estrategicamente para que os leitores possam analisar com calma e conforto os livros que desejam. Um leve perfume exala do ar-condicionado e uma música suave envolve o ambiente. Uma ilha de paz e aconchego no útero da cidade.

A atração que os livros exercem sobre mim é intensa. Passo os olhos pelas estantes perto da porta. Vejo os últimos lançamentos sem nenhum interesse especial. O colorido das capas excita minha curiosidade. Abro uma coletânea de poesias ao acaso. Percorro as estantes de literatura.

Possibilidades inesgotáveis, um mundo infinito. Nenhum livro chama especialmente a minha atenção. Abro um volume, leio a orelha, a contracapa. Recoloco, tomando cuidado para mantê-lo na posição original. Não quero desorganizar o que alguém ordenou com tanto cuidado.

Pego outro livro. Agora um romance inglês clássico que ainda não li. Folheio lentamente. Volto a sentir as emoções que as novelas de épocas passadas me despertam. Sinto a mesma atração de sempre: casarões, ambientes suntuosos, cortinas, lustres, tapetes, candelabros, almofadas, roupas luxuosas e desconfortáveis, cabelos bem penteados, objetos de arte, paisagens bucólicas, jardins, cavalos, carruagens, criadagem, prataria, cristais e porcelanas, flores, formalidades há muito superadas, segredos, mistérios, sentimentos proibidos, insatisfações, inveja, intrigas, traições, desejos, poder, dominação, volúpia... Antecipo as emoções que o texto pode me despertar. Como se os anos retrocedessem e eu pudesse viver por alguns momentos no passado, numa época remota. A vertigem que essas histórias provocam... a embriaguez da narrativa... a sedução das palavras... o mergulho em um universo estranho, distante.

De repente alguém me toca o ombro:

– Boa noite, eu sou Francisco, dono da livraria. Posso ajudar?

Voltei-me:

– Não, obrigada, estou indecisa.

– Não fique indecisa. Este livro é esplêndido. Se ainda não leu, não perca tempo. Lawrence enfoca a decadência da aristocracia rural inglesa e o poder do desejo e do amor. *O amante de Lady Chatterley* escandalizou na sua época, mas hoje, diante das obscenidades de tudo que se escreve, é muito suave e delicado.

Paro de ouvi-lo e o observo. Sua voz vai desaparecendo aos poucos. Ele é um homem maduro, mas jovem. Moreno, magro, alto, usa óculos arredondados de metal. Sob as lentes, olhos escuros, misteriosos. A pele do rosto é dourada como um campo de trigo. Tem uma barba curta, negra e fechada. Os cabelos, ondulados e despenteados, com os primeiros fios brancos, parecem ter passado por uma ventania úmida. Veste-se esportivamente, jeans e camisa social de algodão com finas listras azuis por fora da calça. As mangas estão arregaçadas até os cotovelos, e deixam ver os punhos fortes, cobertos por uma penugem escura, brilhante, sedosa e sensual. As mãos, que gesticulam animadamente, sugerem trabalhos leves, talvez apenas intelectuais.

Seu perfume de lavanda me leva a quarenta anos atrás. Ao meu primeiro baile, ao meu primeiro namorado, ao meu primeiro beijo. Era o cheiro do Júlio, impregnado profundamente em minha lembrança. Um salão de dança no clube do bairro em que nossa família morava, músicas suaves de Ray Conniff e Henry Mancini, boleros, jovem guarda, as primeiras músicas da bossa nova. Colegas do colégio circulando pelo salão à meia-luz, o vestido de renda cor-de-rosa rodado, os cabelos presos com laquê em um coque de mechas onduladas, rostos colados, respiração acelerada, o coração palpitante, mãos entrelaçadas e o gosto de rum com coca-cola na boca. A juventude! O primeiro amor! A sensação de ser querida.

Ginásio, colégio de freiras apenas para meninas, corredores escuros, salas de aula com janelas muito altas para que as estudantes não se distraíssem olhando para fora; uma capela melancólica, retiro espiritual obrigatório, cantos gregorianos. A monotonia das aulas, em que o pensamento voava para longe das quatro paredes. À saída, os garotos esperando suas namoradas na calçada.

O caminho a pé de volta para casa. Todo um futuro pela frente envolto em névoas, feito de expectativas indefinidas, de dúvidas, de incertezas, de interrogações. Serenatas, tardes dançantes, o perfume Fleur de Rocaille envolvendo o ambiente, matinês no cinema perto de casa, comédias românticas açucaradas, fotonovelas, rodas de conversas ao entardecer na sorveteria, piscina do clube do bairro, banhos de sol, passeios na praça... Um tempo ingênuo... Anos dourados... Pequenas preocupações... Nada que pudesse antecipar o que estava por vir – a tenebrosa noite dos anos de chumbo. Tudo esmaecido na lembrança que se esgarça sob o peso dos anos.

Se pudéssemos prever o futuro... Se pudéssemos planejar e controlar tudo. Não podemos, não sabemos o que nos espera, não temos a menor ideia de como serão nossos dias que estão por vir. A vida se desenrola ao sabor do acaso, das oportunidades inesperadas, das situações imprevistas. É um rio que vai se desviando de obstáculos, retorcendo-se, despencando em cachoeiras, comprimindo-se em vales profundos, contornando rochas e criando sumidouros num percurso involuntário, sempre surpreendente, até se dissolver no mar e desaparecer.

Algumas pessoas persistem num projeto pessoal a qualquer custo e trabalham obsessivamente nessa direção, contornando as situações adversas de forma perseverante, com tenacidade. São beneficiadas por um dom especial e por uma clarividência a respeito de sua vocação que descortina o caminho a trilhar. Pintores, desenhistas, escultores, bailarinos, músicos, atores, cineastas, médicos, políticos, voluntários, pessoas especialmente vocacionadas são dessa espécie de indivíduos. Mas a vida amorosa foge a esse trajeto previamente programado. Corre paralela aos planos e se submete a desvios súbitos, reviravoltas incontroláveis.

Observo seu cabelo despenteado desviando meus olhos dos seus. Sinto um certo desconforto com a sua proximidade. Não sei o que falar:

– Vou comprar.

– É um presente?

– Não, é para mim.

– Ótima escolha, a senhora não vai conseguir parar de ler. Nossa livraria é nova aqui. Espero que volte. Como é o seu nome?

– Ângela. Eu moro aqui perto e com certeza voltarei.

– Ótimo, Ângela. Posso chamá-la assim, não é?

– Certamente. Sem problemas.

Pego o livro e me dirijo ao caixa. Ele me segue e registra o pagamento com um leve sorriso. Passo as notas e recebo o troco e o pacote. Agora nossos olhares se cruzam por instantes. Seu perfume ainda me perturba. Disfarço e digo:

– Muito obrigada! Até breve.

A chuva tinha passado completamente e as ruas ainda estão molhadas. O ar úmido entrou pelos meus pulmões como uma lufada de alegria. Era bom estar viva, apesar de tudo. Era ótimo caminhar pelas ruas ao anoitecer, sentindo a pulsação da cidade, o movimento das pessoas voltando para casa. Era muito bom saber que poderia me dedicar à leitura logo mais.

Admiro um livro bem editado, uma bela capa, bem colada, com fontes bem legíveis, papel de boa qualidade. Tenho um prazer sensual ao manusear obras assim. Gosto especialmente dos livros de capa dura e de papel cor de creme. Agrada-me até o cheiro que emana das páginas. Já possuo uma pequena biblioteca em casa, com meus livros sobre paisagismo, meus poemas e romances preferidos. Volto a eles periodicamente, lendo uma página aqui, outra ali. Aqueles que não merecem uma releitura, passo para outras pessoas ou para bibliotecas públicas.

Apaixonei-me pela leitura muito jovem, quando os professores começaram a indicar livros de literatura na escola. Desde então, sou uma leitora voraz, mas desordenada. Leio de tudo, sem método e sem preocupação com a cronologia ou com a história literária. Sigo resenhas nas revistas semanais, indicações de amigos, propagandas, citações, ou sou atraída pela orelha e contracapa do livro na livraria. Quero encontrar mais um bom livro que ainda não conheça. Esse é um prazer garantido.

A leitura é só envolvimento, experiência emocional. Não tenho a intenção de ser culta ou intelectualizada. Não leio para exibir-me em relação às outras pessoas. Assim, não aceito cobranças ou restrições de qualquer pessoa ao meu percurso como leitora. Sei que há muitas falhas na minha bagagem, mas, afinal, a literatura é inesgotável e é um espaço para se exercitar a liberdade.

Quanto mistério nessa comunicação a distância com uma pessoa que não conhecemos, o autor. Que troca estranha e ao mesmo tempo íntima entre duas pessoas que não estão próximas, que não se conhecem, mas comungam as mesmas sensações, as mesmas emoções, as mesmas experiências estéticas em relação à língua, e que, num segundo, parecem estar em sintonia. Os escritores deixam rastros de si mesmos no que escrevem e os leitores vão descobrindo nas dobras da sua linguagem seus sentimentos, seus desejos, suas crenças, suas preferências, enfim o que há de mais profundo na alma daquele autor.

Que dom é esse de criar um mundo apenas pela imaginação, inventar personagens, enredos, histórias que ganham vida? Que magia é essa? E o que nos atrai para enveredar por esses universos imaginários, que flutuam etereamente na nossa mente sem concretude palpável, mas que existem e nos emocionam? São feitos da mesma substância dos sonhos.

Fui invadida por uma sensação sorrateira de bem-estar, quase que de furtiva felicidade. Uma espécie de clandestina e suave euforia. Como se tudo estivesse em equilíbrio, como se o mundo fosse uma organização perfeita. Era o ressurgimento de um sentimento que há muito eu mesma não me dava o direito de usufruir, sempre afogada numa melancolia incontrolável.

Abraçada ao livro, caminhei para casa. Entretenimento garantido para o fim de semana que se anunciava solitário. Ainda estava envolvida pela lembrança despertada pelo perfume de lavanda. Júlio... Éramos tão jovens e a ideia de amor era muito idealizada, apenas uma atração persistente, descolada dos problemas concretos, das exigências práticas do cotidiano, da rotina, das obrigações para com a sobrevivência. Nada sabíamos das solicitações que a vida nos traria. O único desejo era estarmos juntos, Júlio e eu, olhando nos olhos um do outro, murmurando juras de eterno amor. E hoje nem sei o que foi feito de sua vida, nunca mais nos encontramos depois que me mudei da cidade. Algumas cartas e depois o silêncio.

Outras amizades, outros interesses, outros amores, novos desafios, obstáculos a vencer, e ele, Júlio, foi ficando na neblina das recordações mais longínquas. Não consigo imaginá-lo como um homem maduro, grisalho, envelhecido, talvez calvo ou gordo. Sempre permanecerá na minha memória como um jovem atlético e bronzeado. Não consigo vê-lo na frente de um computador ou usando um celular. Ainda tenho a imagem de seus olhos verdes penetrando nos meus com veneração. Ainda tenho a percepção de sua ansiedade, de sua premência pelos beijos roubados às escondidas.

Logo adiante, entro em um restaurante *self service* em que costumo jantar com certa frequência. Tomo uma mesa, sirvo-me de salada e carne e peço um suco. Minha cozinha em casa é pouco utilizada; apenas nos fins de semana, quando me dedico à culinária com prazer, ou para pequenos lanches e para o café da manhã. Quando a faxineira diarista vem, improviso um almoço. Mas gosto de cozinhar para os amigos e organizar pequenos jantares. Acho que herdei esse talento de minha mãe, que era uma excelente cozinheira. São as raízes mineiras. Já nascemos com esse dom. O amor pela boa comida e a intuição gastronômica estão no sangue.

Quando ofereço um jantar, planejo com antecedência, faço as compras, preparo tudo a tempo, escolho a melhor louça, coloco uma linda toalha bordada, disponho os copos e as bebidas à vontade, tudo com muito capricho. Coloco flores na mesa e ligo o som com música suave. As relações de amizade se concretizam e se aprofundam sempre em torno de uma mesa, usufruindo o aroma, as cores e o sabor dos alimentos e das bebidas.

Fazer as refeições sozinha tinha sido uma das partes mais difíceis na viuvez. Procuro almoçar e jantar fora de casa, em lugares bem movimentados. Distraio-me olhando os outros fregueses, suponho detalhes da vida de cada um. Acompanho pedaços de conversas e completo histórias com a imaginação. Fragmentos de outras vidas... cenas apenas sugeridas. Uma vez ou outra compartilho a mesa com algum estranho e troco umas poucas palavras.

Enquanto tomo o suco as recordações voltam velozmente.

Com Danilo era diferente, ele gostava de fazer todas as refeições em casa. Depois do almoço dava um cochilo no sofá da sala antes de voltar para o trabalho. Eu gostava de vê-lo descansando, com o rosto repousado, ressonando tranquilamente, longe das preocupações e das agonias com a política, dos sobressaltos com a polícia, com o dinheiro. Seu rosto másculo, seus cabelos loiros e seus olhos claros, quase verdes, quase azuis, seu corpo magro, esguio, a barba sempre bem feita, as mãos fortes sempre muito limpas. Sempre muito meu.

Tinha um temperamento aparentemente suave, mas por dentro era um vulcão. Inflamava-se com a repressão, era visceralmente contra a ditadura, revoltava-se cada vez que um companheiro era preso. Começava então uma tempestade. Gritava, esmurrava a parede, depois entrava em profunda depressão. Até o momento em que era novamente convocado para alguma ação. Era um líder. Nunca fraquejava, estava sempre disposto e cheio de coragem. Sua ira transformava-se em energia. Leal e solidário. Não se negava a qualquer tarefa, por mais perigosa que fosse. Várias vezes me pedira para abrigar algum companheiro que corria risco de ser preso.

Eu me esmerava na cozinha para agradá-lo. Ele gostava de comida mineira: tutu de feijão, frango com quiabo, costelinha de porco, couve, ora-pro-nóbis... adorava doce de leite com queijo, mas comia pouco. Parecia sempre apressado, o que afastava o apetite.

Acompanhávamos pela televisão os festivais de música. Ouvíamos *Roda viva* e observávamos as pessoas saindo do Brasil pouco a pouco, numa onda constante de exílios: Paulo Freire, Milton Santos, Darcy Ribeiro, Niemeyer, Ferreira Gullar...

Tem dias que a gente se sente

Como quem partiu ou morreu

A gente estancou de repente

Ou foi o mundo então que cresceu

A gente quer ter voz ativa

No nosso destino mandar

Mas eis que chega a roda-viva

E carrega o destino pra lá

Roda mundo, roda-gigante

Rodamoinho, roda pião

O tempo rodou num instante

Nas voltas do meu coração

A gente vai contra a corrente

Até não poder resistir

Na volta do barco é que sente

O quanto deixou de cumprir

Faz tempo que a gente cultiva

A mais linda roseira que há

Mas eis que chega a roda-viva

E carrega a roseira pra lá

Uma nuvem escura cobria nossos dias, embora nos amássemos tanto. Os acontecimentos políticos prenunciavam períodos de tormenta. Quando Che Guevara morreu na Bolívia, Danilo sentiu imensa tristeza. O sonho latino-americano de igualdade morria um pouco a cada dia. Calado, sorumbático, pensativo, Danilo ficou horas quieto. Inconsolável, evitava conversar, queria ficar sozinho. Por muitos dias arrastou essa amargura, esse desalento.

Eu ficava pisando em brasas, sem querer incomodá-lo, mas preocupada com os seus sentimentos. Fazia as comidas de que ele gostava. A carne assada enchia a casa de aromas deliciosos. Colocava as suas músicas preferidas, comentava acontecimentos mais alegres, contava histórias engraçadas. Mas nada conseguia dissolver sua desolação. Era preciso esperar que essa fase passasse naturalmente e seu ânimo voltasse, sua energia, seu ímpeto em relação às causas pelas quais lutava. E isso sempre acontecia, porque em sua essência ele estava predestinado a ser um batalhador. No fundo do seu coração ardia a chama de revolucionário que, embora algumas vezes estivesse com o lume atenuado, nunca se apagava. Sua utopia era um país mais justo, com mais democracia, com menos diferenças sociais, com mais igualdade de oportunidades.

Morávamos em um apartamento de dois quartos, pequeno, mas confortável. Era suficiente para nós dois. Ficava no segundo andar de um prédio sem elevador. Ali organizamos nossos livros, nosso pequeno escritório. Tínhamos um ótimo aparelho de som, presente de casamento, e muitos discos. Tudo muito simples. Éramos jovens e não pensávamos em acumular nada, em ostentar nada. Danilo tinha um fusca antigo, que comprara de segunda mão. Chamava-o carinhosamente de Bólido.

Numa manhã de um março cheio de aguaceiros, pelo telefonema de um colega, chegou a notícia da morte do estudante Édson Luís em consequência da ação da Polícia Militar no restaurante universitário Calabouço, no Rio. O desespero volta a rondar o espírito de Danilo. Soubemos que no velório houve um cortejo de 60 mil pessoas. Confrontos com policiais em várias partes do Rio de Janeiro indicavam a insatisfação popular com o regime de exceção. Nos dias seguintes, manifestações sucediam-se no centro da cidade, com repressão crescente até culminar na missa da Candelária, com milhares de participantes.

Soldados agressivos a cavalo investiram contra estudantes, intelectuais, repórteres e populares. Os padres fizeram um cordão de isolamento para que o público pudesse sair. As informações chegavam fragmentadas pela TV, pelos jornais, e sabíamos de tudo principalmente por meio dos companheiros de militância.

Acompanhamos tudo pelo rádio e as pessoas conhecidas narravam os acontecimentos pelo telefone. Naquela época as ligações a distância ainda não eram muito boas. Quem recebia as notícias passava-as para os outros numa corrente paralela de informações. A TV e os jornais eram censurados e davam apenas pequenas notinhas. O Rio de Janeiro fervia.

Dias depois, uma manifestação estudantil em frente ao edifício do Jornal do Brasil provocou um conflito que terminou com três mortos, dezenas de feridos e mais de mil prisões. Aquele dia ficou conhecido como "Sexta-feira sangrenta". A tudo Danilo reagia com indignação. Seus olhos ficavam mais escuros e sua testa franzia em profundas rugas verticais prematuras. Repudiava a ação dos militares contra a massa de estudantes. A cada notícia ele se exaltava, falava alto, resmungava sozinho, enfurecido.

– Até quando vamos enfrentar essa truculência? Isso é insuportável. Temos mesmo que reagir. Temos que revidar essa violência, precisamos desmontar essa máquina de repressão, de censura, de perseguição. Precisamos nos organizar melhor, conquistar novos militantes, fortalecer nossos quadros. Não podemos nos intimidar. Puxa vida, Ângela, você deve compreender que eu me entrego de corpo e alma a essa causa. Me desculpe se eu falho com você, a qualquer momento posso ser preso, posso faltar.

– Danilo, se acalme. Claro que eu compreendo você. Sei que está irritado, mas tente se controlar. Não resolve ficar assim. Você não pode fazer nada sozinho. Sua fúria não vai adiantar.

Diante das reações da opinião pública à violência, o comando militar acabou autorizando uma manifestação estudantil programada para a Cinelândia, no centro do Rio de Janeiro. Estudantes, professores, jornalistas, humoristas, artistas, intelectuais, políticos e outros segmentos da sociedade civil juntaram-se à passeata, tornando-a a mais expressiva manifestação popular daquela época. Tendo à frente uma enorme faixa com os dizeres "Abaixo a ditadura! O povo no poder!", a passeata prosseguiu durante três horas, encerrando-se em frente à Assembleia Legislativa, sem conflitos. Foi a Passeata dos Cem Mil. Esse evento foi noticiado em vários jornais, pois era tão significativo que não dava para esconder.

Isso encheu o coração de Danilo de alegria. Amanheceu sorridente, com os olhos translúcidos e brilhantes, cheio de esperança, cantando e gritando:

– Enfim uma reação efetiva. Vamos em frente. Eles não passarão! Vamos derrubar essa ditadura, vamos voltar à democracia! O povo unido jamais será vencido. O povo nas ruas vai decidir o futuro. Tenho certeza, Ângela. Vamos viver para ver de novo nosso país livre do domínio dos militares.

Nesses momentos de alegria, Danilo era outra pessoa. Sorridente, esperançoso, cheio de coragem. Cantava, dançava, me abraçava, exultante com as pequenas conquistas do movimento. Pressentia um futuro melhor, mais democrático, em que os direitos sociais seriam restabelecidos e haveria uma abertura real. Ficava no telefone com os companheiros, falando alegremente e sonhando com um futuro de liberdade irrestrita. Sua alegria me contagiava e eu me sentia plenamente feliz.

Entretanto, as manifestações que começam a surgir incentivadas pelo sucesso da Passeata dos Cem Mil são rechaçadas duramente. Prisões, mortes, censura e repressão se alastram pelo país afora. As universidades são constantemente ameaçadas. Bombas explodem prenunciando tempos ruins. O teatro Ruth Escobar, em São Paulo, durante apresentação da peça *Roda viva*, é invadido e depredado por anticomunistas. O elenco é violentamente espancado. Danilo, atormentado pelas notícias que chegam furtivamente, pois a censura aos jornais é ferrenha, ouve sem parar a música *Para não dizer que não falei de flores*, de Geraldo Vandré.

Caminhando e cantando e seguindo a canção

Somos todos iguais, braços dados ou não

Nas escolas, nas ruas, campos, construções

Caminhando e cantando e seguindo a canção

Vem, vamos embora, que esperar não é saber

Quem sabe faz a hora, não espera acontecer

Era um hino. A música incitava a ação dos militantes, que, estimulados, planejavam ações cada vez mais ousadas. Os militares percebiam isso e colocavam seu aparato de repressão para censurar, exilar, proibir e evitar essas iniciativas.

Pela manhã caminhei para uma reunião de trabalho em um jardim público ainda com a música do Vandré ressoando na minha memória.

Conversei com os engenheiros e arquitetos. Expliquei meu projeto, expus meus propósitos. Todos aprovaram as soluções paisagísticas que eu sugerira. Saímos satisfeitos da conversa. Sentei-me na varanda de um restaurante e um ipê-amarelo, em plena floração, despertou-me antigas lembranças.

Naquele dezembro, num dia escuro e chuvoso, quando o governo militar fecha o Congresso por meio do Ato Institucional nº 5, Danilo ouve a notícia pela TV e se exaspera lendo os jornais impressos. Pensei que ele ia enlouquecer. Andou pela casa desesperado, batendo-se contra as paredes, sufocando os gritos com as mãos sobre a boca e desabou na cama. Tentei acalmá-lo, abracei-o carinhosamente, acariciando seus cabelos. E ele dizia:

– Você sabe o que isso significa? As coisas vão ficar piores ainda. E não haverá reação possível. Veja só o que diz o ministro da Justiça aqui no jornal: "Censura prévia para jornais, revistas, livros, peças de teatro e músicas. Recesso na Câmara dos Deputados, nas Assembleias Legislativas e nas Câmaras de Vereadores. Suspensão de direitos políticos, pelo período de dez anos, de qualquer cidadão brasileiro; cassação de mandatos de deputados federais, estaduais e vereadores; proibição de manifestações populares de caráter político; suspensão do direito de *habeas corpus;* julgamento de crimes políticos por tribunais militares sem direito a recurso". Estamos todos encurralados, amordaçados. Tantos que já foram presos, tantos mortos, tanta censura e ainda por cima isso! Juscelino vai ser preso. Imagine! Um líder democrata popular. Virão mais cassações, mais perseguições, mais prisões! Como poderemos reagir? É o arbítrio total! E tudo porque Márcio Moreira Alves fez um discurso inflamado e o parlamento negou o pedido dos militares para que fosse processado.

Ficamos abraçados, silenciosos. Um futuro sombrio se anunciava. Dias sem esperança. Ações sinistras do aparato de repressão eram esperadas. Cada vez que o telefone tocava nossos corações estremeciam, temendo notícias ruins em relação aos nossos companheiros ou a alguém conhecido. Uma névoa de terror invadia nossas horas, nossos gestos, nossos pensamentos. Estávamos caminhando sobre um fio de navalha.

Quando soubemos que Caetano Veloso e Gilberto Gil tinham sido presos ficamos mudos de tristeza. Era o cúmulo. As garras da ditadura mostravam suas unhas afiadas, sem temer a reação do povo.

Nos meses seguintes, percebi que Danilo estava mais e mais envolvido na militância de resistência aos militares. Sumia noite adentro participando de reuniões. Sei que ele e os companheiros planejavam ampliar o raio de ação. Estavam cada vez mais enfurecidos e mais ousados. Quanto mais o regime recrudescia, mais estimulados ficavam para a reação. Acreditavam mesmo que seria possível vencer aquela luta desigual. Às vezes se reuniam em casa e atravessavam a noite sonhando com as ações que derrubariam aquele espúrio poder. E quanto mais reagiam, mais a repressão se tornava truculenta.

A notícia do sequestro do embaixador americano Charles Elbrick, no Rio de Janeiro, chegou por meio de um jornal de TV. Danilo ficou perplexo.

– Como conseguiram? Que sucesso! Estamos melhores do que eu pensava. Agora, sim, a luta começou de verdade. Esses militares vão ver com quem estão lidando. Vamos fazer coisas incríveis. Eles nem esperam... temos coragem... temos juventude... somos inteligentes...

O ato foi comemorado com alegria. Reunidos em casa, Danilo e alguns companheiros beberam em homenagem aos corajosos militantes. Três dias depois, com a libertação de quinze presos políticos em troca do embaixador, houve outra comemoração que se prolongou noite adentro. Muita cerveja, muita música, alguns tocavam violão, outros cantavam. A esperança renascia a cada sucesso e alimentava novamente a entrega e a dedicação à luta.

Mas a notícia do assassinato de Marighella, líder da Ação Libertadora Nacional, mergulha Danilo novamente no desespero. Assim, entre surtos de alegria e de desesperança, Danilo enfrentava as adversidades e se fortalecia mais e mais para continuar reagindo. Para ele era inconcebível assistir calado e indiferente a tudo o que ocorria no país. Seu senso de responsabilidade social o impulsionava. Era preciso agir, era preciso lutar, era preciso não ficar submisso à história. Era necessário fazer a história, corrigindo seus rumos, distorcendo seus desvios e equívocos. Ninguém poderia aceitar esse regime de força, em que os direitos civis tinham sido banidos.

Sempre temos medo de ter medo. E o medo vem involuntariamente. Surge sem aviso prévio e se instala no coração e na mente, atormentando furiosamente nossos dias. Ele nos tortura, nos paralisa, nos diminui até ficarmos insignificantes. Mas Danilo era inatingível por essa sensação tão humana. Nem cogitava a possibilidade de fraquejar, de se acovardar, de se encolher sem ação. Tudo nele era movimento, iniciativa, entusiasmo e militância. Tinha sua ideologia, suas convicções, tinha seus sonhos, e esses o impulsionavam, apesar das decepções que surgiam em profusão.

Chico Buarque, Gilberto Gil e Geraldo Vandré saem do Brasil. Os militares pressentem o poder mobilizador da música e não querem correr riscos. Uma grande tristeza toma conta de Danilo, que vê nosso país cada vez mais empobrecido de lucidez. Bastava pensar um pouco para ser exilado. E aqui ficava um silêncio alucinante. A população não acompanhava com consciência esses movimentos. Parecia anestesiada e continuava sua rotina, sem perceber claramente o que ocorria nos subterrâneos do governo militar.

Percebia-se o desencanto de Danilo nos mínimos gestos: não se concentrava na leitura, desligava o som no meio das músicas, ficava muito tempo na janela, absorto, ouvindo o canto dos pássaros e observando a mudança na vegetação dos jardins. Comentava a transformação que as estações do ano provocavam nas plantas em frente ao nosso prédio. Acompanhava atentamente a construção de uma casinha por um casal de joões-de-barro num galho da espatódea da calçada.

Mas eram pequenos momentos de fuga, pequenas tréguas no tormento incessante por que passava no enfrentamento ao regime de força. Essa tristeza não se confundia com medo. Era uma mistura de desilusão e desesperança. A natureza seguia seu ritmo e oferecia seu espetáculo, indiferente aos acontecimentos e às aflições das pessoas. Parecia mostrar que tudo era secundário e transitório.

Já em casa abri o livro e mergulhei na leitura envolvente de Lawrence. Acompanho os movimentos de Constance e Mellors em meio à natureza. Adormeço recordando o perfume de lavanda. Passo o fim de semana silenciosa no sofá com o livro. Emoções contraditórias me assaltam e revolvem sentimentos há muito amortecidos. A sensualidade do livro desperta sensações esquecidas, e me vejo relembrando noites da juventude. Voluptuosidade, ternura, carícias... a pele arrepiada, sons excitantes no ouvido, êxtase.

Danilo era um amante cuidadoso, sempre preocupado em me satisfazer. Nós tínhamos nos iniciado no sexo juntos, nos primeiros anos da liberação sexual. Fomos descobrindo pouco a pouco como encontrar o prazer e como despertar o prazer no outro. A princípio tudo era aflitivo, escondido, cheio de ansiedade e culpa. Depois fomos relaxando e curtindo nossos momentos de amor.

Após o casamento, nossa intimidade já estava bem afinada. Ele passava a impressão de completa entrega, de profunda dedicação. Ali era o lugar em que ele queria estar, eu era a pessoa com quem ele queria estar, totalmente envolvido, desligado de tudo, ausente do mundo ao redor. A hora do amor era um momento em que ele deixava as questões políticas para depois. Nós tínhamos, por alguns minutos, uma verdadeira comunhão.

Ele nunca me despertava ciúmes. Eu tinha plena confiança no seu afeto. Nunca o vi interessado em outra pessoa, nem mesmo quando as jovens se atiravam, oferecidas, para aquele charmoso líder político. Sempre sério, sempre concentrado nos seus objetivos, parecia não perceber quando uma militante se aproximava cheia de intenções.

Uma onda de liberação sexual se iniciava. As mulheres estavam mais atiradas, mais oferecidas. Estavam decididas a usufruir intensamente da liberdade conquistada. Mas Danilo permanecia indiferente às tentativas de sedução que muitas vezes o cercavam.

Nós nos conhecemos num ponto de ônibus. Ele indo para a universidade e eu para o colégio. Fomos apresentados por uma amiga comum. E desde o primeiro olhar eu soube que viveríamos juntos. A partir de então procurava estar no ponto sempre no mesmo horário para que nos encontrássemos. Quando coincidia de chegarmos juntos, meu coração disparava. Conversamos várias vezes esperando a condução.

Até que um dia ele me convidou para irmos ao cinema. Fomos assistir *Dr. Jivago* num sábado à tarde. Saímos da sala escura emocionados. Eu chorava silenciosamente e ele me abraçou tentando me consolar. E nunca mais nos afastamos. Gostávamos de passear de bicicleta, de nadar, de ir ao cinema e às vezes íamos dançar. O tempo era preenchido com nossas conversas sobre política. Vivíamos uma época em que os jovens queriam verdadeiramente transformar o mundo. O engajamento aos problemas sociais era um caminho natural para quem tinha acesso à educação. Todos queriam saber como poderíamos alterar a realidade desigual do país. Todos queriam participar da transformação e deveríamos dar uma cota de trabalho nessa direção. Todos nós tínhamos planos de engajamento. Eu assumi uma turma de alfabetização de adultos na associação de moradores do bairro. Entreguei-me de corpo e alma àquela tarefa, que me exauria, mas também enriquecia minha experiência social.

Eu estava impregnada pelo clima bucólico do romance de Lawrence. Durante a semana trabalhei arduamente num jardim público. A prefeitura me contratou para fazer o paisagismo de uma nova área de lazer. A natureza, tão intensa no livro, era uma forma de inspiração para recriar ambientes acolhedores e românticos. Escolhi trepadeiras floridas, como jasmins e madressilvas. O perfume adocicado atrai borboletas e beija-flores. Escolhi para os caramanchões a trepadeira jade, que é vigorosa, perene, de ramos lenhosos e pode alcançar muitos metros. Floresce na primavera e no verão. As flores enormes apresentam o formato de garras invertidas, com um brilho espetacular e uma coloração avermelhada como uma chama. Como estavam previstos muitos bancos nos caramanchões, fiquei imaginando como seria maravilhoso um encontro sob aquele véu de flores incendiadas.

Planejar um jardim exige sempre visualizar o seu futuro, o desenvolvimento das plantas e sua combinação no espaço. Esse exercício é formado pela mesma matéria abstrata da imaginação. Temos que prever o vir a ser do que foi plantado.

Coloquei estrategicamente muitos pés de bougainville cobrindo as veredas e passagens. O bougainville é uma trepadeira lenhosa, de florescimento abundante. Suas folhas são pequenas, lisas, levemente alongadas e brilhantes. As flores, de diversas cores, são pequenas, mas numerosas. Assim os caminhantes e esportistas de corrida teriam calçadas sombreadas e floridas.

Plantei espatódeas para assegurar áreas de sombra. Elas têm crescimento rápido e podem atingir até vinte e cinco metros de altura. As flores são agrupadas em cachos avermelhados no alto da copa da árvore. Organizei alguns canteiros de arbustos pequenos e espalhei grama por todos os espaços. Imaginei as crianças brincando, correndo, jogando bola, e as famílias fazendo piqueniques. Antevi, sobre uma toalha xadrez no chão, garrafas de suco, pedaços de bolo, sanduíches, queijos, pães, biscoitos... Cenas de Monet.

Garanti que durante quase todo o ano o jardim tivesse flores. Estava nitidamente influenciada pelo livro de Lawrence, que exaltava a exuberância da natureza. Mas o trabalho no parque se estenderia por muito tempo, porque, além de planejar, desenhar e escolher as plantas, eu deveria acompanhar a implantação. Além disso, deveria também orientar a equipe de manutenção sobre os cuidados com cada uma das espécies: adubação, irrigação, poda...

Assim, envolvida no trabalho, adiei o momento de voltar à livraria. Alguns dias depois da última visita, cedi ao impulso. Quando cheguei havia poucas pessoas escolhendo livros. Retirei da estante um volume de *Crônica de uma morte anunciada*, de Gabriel García Márquez. Já tinha lido *Cem anos de solidão* e outros livros do colombiano, mas este não. Dirigi-me ao caixa, onde reencontrei o Francisco e seu perfume de lavanda:

– Ótima escolha, Ângela. Não vai conseguir largar até chegar ao fim. E então, gostou de *O amante de Lady Chatterley*? Escandalizou-se?

Surpresa por ele ter se lembrado de que eu tinha levado o livro há alguns dias, disse:

– Gostei muito, Francisco. Não me escandalizei. É uma história de amor. Com muita sensualidade, é claro. Lindo e emocionante. Eu já tinha lido dele *Mulheres apaixonadas* e também vi o filme.

– Ah! Que filme maravilhoso! É do Ken Russell, com Alan Bates, não é?

– É sim. Gostei muito do filme também. Mas sempre acho que o livro é melhor. Parece que nossa imaginação é mais rica que os limites de uma filmagem. E também o livro é mais detalhado na descrição das emoções, é mais profundo, permite uma reflexão mais abrangente. Para que um filme dure duas horas, as adaptações do roteiro deixam muita coisa de fora. São linguagens diferentes e, portanto, têm efeitos diferentes, não é?

– Estou de pleno acordo. Mas achei *Morte em Veneza* fiel ao livro de Thomas Mann, e também *O estrangeiro*, de Camus. Os dois foram dirigidos por Visconti. São filmes que respeitam os livros, conseguem criar um clima parecido com o do texto. Dos brasileiros adoro as adaptações de *São Bernardo*, feita por Leon Hirzman, e de *Vidas secas* e *Memórias do* cárcere, feitas por Nelson Pereira dos Santos. Graciliano Ramos teve sorte com as adaptações dos seus livros. Nem sempre um bom livro dá um bom filme. Alguns são desastrosos.

– É mesmo. Bem, vou indo, já está tarde. Até mais.

Caminhei até o carro e dirigi-me para casa. Começava uma chuva fina quando abri as janelas da sala e deitei-me no sofá com o livro nas mãos. Puxei uma manta de lã colorida, herdada de minha mãe, e envolvi-me na trama da morte de Santiago Nasar. Por que o matariam? Como o matariam? Mergulhei na série de equívocos e casualidades que levaram ao seu assassinato. Quando olhei para o relógio de pulso já eram duas horas da madrugada. Estava na última página. Ainda estarrecida com a história e emocionada com a exatidão da narrativa, considerei: de fato, Francisco tinha razão, não dava para largar o livro pelo meio.

A imagem daquele homem alto, magro, moreno, voltou à minha mente. Pensar que já tinha lido aquele livro criava um vínculo mais íntimo com ele. Tínhamos passado pela mesma emoção. Tínhamos vivido a mesma experiência. Tínhamos nos deixado encantar pelas mesmas palavras e imagens. Adormeci com uma agradável sensação de não estar sozinha. Compartilhar leituras é um prazer inigualável.

No dia seguinte, acordei com dificuldade quando o despertador tocou. Sempre acordo antes da campainha. Deixo o relógio como uma segurança, caso perca a hora. Tinha um compromisso para planejar um novo jardim. Gosto desse trabalho, que me absorve por muitas horas, preenche o vazio de meus dias e me distancia de outras preocupações, da depressão, da inutilidade. Estudei arquitetura e me especializei em paisagismo. É uma boa profissão, ainda mais que na cidade ainda há muitos bairros com casas e jardins. A que iria me dedicar se não fosse o trabalho? Como iria preencher as horas e os dias? Como iria sufocar a ferida aberta que ainda tinha no coração? Preparei meu café e um sanduíche de queijo, coloquei um CD de Rosa Passos no som e deixei a memória trançar sua rede.

Danilo e eu éramos quase vizinhos. Pouco a pouco fomos nos envolvendo e o namoro prolongou-se por alguns anos. Tínhamos tantas afinidades que a convivência era suave e tranquila. Ele era generoso e compreensivo. Sempre admirei sua paciência e tolerância, principalmente enquanto eu aprendia a cozinhar. Fui me afastando dos amigos e aderindo ao grupo de Danilo. Para o casamento foi preciso esperar que ele se formasse e tivesse trabalho numa agência de pesquisa social. Foram muitas reuniões políticas, muitas utopias, muitas sessões de cinema, muitos passeios, muitas ilusões. O casamento foi tradicional, com as famílias, os parentes, os amigos numa pequena reunião no salão de festas do prédio onde iríamos morar. Nada muito luxuoso, porque o Danilo não admitia esbanjamento, ostentação.

Agora estava sozinha. Minha única filha, Vitória, tinha ido trabalhar em São Paulo. Ela não conhecera o pai. Como estaria agora? Nessa época a cidade é muito fria. Falamos por telefone todas as semanas, trocamos e-mails e nos encontramos nas festas de fim de ano. Vez por outra vou a São Paulo para algum evento de paisagismo. É sempre uma oportunidade de convivermos um pouco. Ela é professora de História numa universidade. Especializou-se no período da ditadura militar, fixada na história do pai. Atua na Anistia Internacional e está colaborando com a Comissão da Verdade. Tem muitas características do pai: é militante, combativa, envolvida, profundamente comprometida com suas convicções. Mas tem um temperamento diferente. É rígida e impaciente.

A primeira vez que Danilo foi preso foi uma amostra do que viria depois. Um dia ele não voltou para casa. Passei a noite andando de um lado para outro. Ia à janela a qualquer ruído, para conferir se estava estacionando o carro, ligava a televisão para saber as últimas notícias e conferir se havia acontecido alguma coisa, mesmo sabendo que se tivesse havido um problema político com militantes a censura não permitiria que fosse noticiado. Meu coração disparava a cada minuto. Voltavam à minha lembrança todas as narrativas de prisões, torturas e desaparecimentos que ouvira nas reuniões políticas que aconteciam em minha casa.

Não havia a quem recorrer. O telefone devia estar grampeado. Se eu saísse corria o risco de ser presa, pois o prédio estava constantemente vigiado. Acompanhava o clarão dos faróis dos automóveis que passavam pela rua e desenhavam fachos de luz nas paredes da sala. O tique-taque do relógio de parede que eu tinha recebido de presente da minha sogra acompanhava minha pulsação aflita. Amanheci sentada numa cadeira de balanço, olhando pela janela o movimento da rua. Naquelas horas de vigília, tudo me passou pela memória. Procurava inutilmente uma informação perdida: quais teriam sido suas últimas palavras ao se despedir quando saiu de casa? Onde teria ido ao anoitecer? Onde estaria agora? O que estaria fazendo? Com quem estaria? Quais eram os planos para aquela noite? Quais eram os indícios de que estaria correndo riscos?

Esperei dar oito horas da manhã e fui para a casa de meus pais. Por mais que pensemos que nossos pais são dispensáveis, é neles que nos apoiamos nas horas de dificuldade. Meu pai sabia tudo o que estava acontecendo no país, mas se mantinha distante de qualquer manifestação pública. Apenas lamentava entre as pessoas da família que nossa história política estivesse caminhando para um abismo. Prezava a liberdade e queria o país democratizado, mas achava que essa tarefa era dos jovens. Apoiava solidariamente as opções de Danilo, e temia pela minha segurança. Sabia que corríamos sérios riscos e nunca quis interferir, censurando ou reprimindo qualquer iniciativa nossa.

Era um homem silencioso e observador. Carinhoso na medida certa. Aposentara-se do serviço público e agora se dedicava à jardinagem. Tínhamos muitas afinidades e conversávamos horas e horas sobre plantas. Eu sentia que realizava um de seus sonhos, dedicando-me profissionalmente ao paisagismo. Ele tinha orgulho de mim. Eu sentia isso no seu olhar amoroso e admirado.

Foram quinze dias de desespero, sem notícias, sem informações. Alguns amigos traziam suposições desencontradas. Não se sabia onde estava realmente. Não havia como procurar por ele, pois não existiam evidências de sua prisão. Seu carro foi encontrado estacionado perto da universidade, sem sinais de violência. Eu tinha uma chave reserva e fui buscá-lo. Estava cheio de panfletos contra os militares.

Pedi ao meu pai que procurasse um antigo amigo militar e tentasse descobrir para onde tinham levado Danilo. Ele foi reticente, mas acabou concordando. Marcamos uma visita e fomos juntos ao seu escritório. Ficava num quartel antigo, cheio de seguranças e triagens. Era um conjunto enorme, com vários pavilhões. Meu pai tinha todas as indicações de onde deveria encontrá-lo.

Passamos por um pátio ensolarado, subimos uma escadaria escura, que cheirava a tinta nova, entramos em um corredor sombrio e frio. Tudo impecavelmente limpo. Já no escritório, fomos recebidos com fraternal cerimônia. Ao contrário do que inspirava o prédio, a sala do general era bem mobiliada e aconchegante. Sofás de couro, cortinas de *voile*, estantes repletas de livros encadernados de verde. Uma luz suave atravessava a vidraça. Meu pai, indiferente ao ambiente, sempre franco, foi direto ao assunto:

– Estamos aqui para pedir um grande favor. Meu genro foi preso, não sabemos como, mas temos certeza de que está preso. Gostaríamos que você nos ajudasse conseguindo informações sobre sua real situação. O nome dele é Danilo. Faz mais de uma semana que está sumido. Não temos notícias.

Virando-se para mim, com um sorriso irônico, o oficial perguntou:

– Então seu marido é terrorista? Desses que sequestram pessoas de bem, assaltam bancos, colocam explosivos em eventos, querem derrubar o governo? Sabe que eles merecem mesmo ser castigados, não é? São comunistas. Querem nos impor um regime totalitário, violento, como o de Cuba. Ditadura do proletariado!

Estremeci dos pés à cabeça. Um suor frio percorria minha coluna vertebral. Para me acalmar fixei os olhos numa pequena escultura de bronze sobre a mesa e balbuciei uma negativa:

– Não senhor. Ele é apenas um dos jovens que não concordam com o regime militar, querem eleições livres, democracia, liberdade de expressão e de pensamento.

– Mas minha filha, nós salvamos o Brasil do comunismo, que estava à nossa porta. O que seria do nosso país nas mãos desses sanguinários? Não tenho envolvimento com a repressão, mas tenho amigos e colegas que podem me dar informações. Vou ver o que posso fazer. Tudo em nome de uma velha amizade.

E mudou de assunto, puxando antigas memórias de pescarias e jogos de futebol. Ao sairmos, meu pai agradeceu muito e, deixando um papel com um número de telefone sobre a mesa, disse que aguardava sua chamada o mais breve possível.

Eu estava constrangida de colocar meu pai naquela situação. Observei seu semblante preocupado, ensimesmado, acabrunhado; parecia tão humilde e submisso. Diferente do que era habitualmente em família, um homem altivo, senhor de si. Fiquei pensativa; talvez eu o estivesse decepcionando. Possivelmente ele queria outro destino para minha vida. Com certeza ele estava embaraçado de ter de pedir esse tipo de ajuda. De qualquer maneira eu estava muito desconfortável de arrastá-lo para aqueles problemas. Sei que ele poderia viver sem ter que enfrentar essas questões. Sei também que sofria com o meu sofrimento. Gostaria que eu não estivesse passando por tudo isso, pois era generoso e solidário.

Caminhamos a pé pelas ruas da cidade. Tudo funcionava perfeitamente: o trânsito estava tranquilo, os ônibus transitavam de forma normal, as escolas despejavam crianças nas calçadas, o comércio e os bancos estavam de portas abertas, as academias de ginástica, que começavam a surgir, estavam lotadas, pessoas transitavam em todas as direções, o mundo era indiferente ao que se passava nos escaninhos do poder. Todos estavam hipnotizados pelo milagre econômico.

Eu, ao contrário, me sentia num túnel desesperador, em que não havia nenhuma luz, nenhuma forma de escape, nenhum jeito de sair daquela escuridão. Apalpava as paredes ásperas e me arrastava em busca de uma luz. Sons longínquos me lembravam a vida, o sol, a alegria perdida. Minhas mãos e minha alma estavam estraçalhadas pelas pedras daquela muralha. Tudo me parecia tão injusto, tão revoltante. Eu tinha vontade de gritar, mas engolia meu desespero para não assustar meu pai.

Não havia como reagir. Totalmente impotente, sentia-me anestesiada pela dor, como se minhas vísceras tivessem sido arrancadas e apenas meu corpo oco se movimentasse automaticamente, sem energia e sem consciência, sem emoção.

Esperamos três dias pelo telefonema do oficial. Fiquei na casa dos meus pais. Cada vez que o som do telefone ressoava, meu coração ficava aos pulos. Enfim ele ligou para meu pai e disse que Danilo estava no Pelotão de Investigação Criminal no quartel da Polícia do Exército. Acrescentou que era apenas um procedimento de rotina, porque ele tinha sido pego pichando paredes e espalhando panfletos com convocação para manifestações. Aconselhou que ficássemos tranquilos em casa esperando, já que ele seria solto a qualquer momento.

Postei-me horas seguidas na portaria do quartel, procurando informações, até que um oficial veio me convencer a voltar para casa, dizendo que Danilo fora preso apenas para averiguações, estava incomunicável mas bem, e que, com certeza, seria solto em breve. Que eu aguardasse em casa.

Foram longos dias de apreensão. Olhava incessantemente para o relógio. Onde estaria? Como estaria enfrentando os interrogatórios? Estaria sofrendo torturas? Estaria aflito para dar notícias? Estaria bem alimentado? Passava frio? Imaginava que era injusto eu estar com meu corpo intacto enquanto Danilo era massacrado. Aquele corpo jovem que eu amava acima de tudo, que eu acariciava com devoção, que era como uma continuação do meu próprio. Aquele corpo em que eu gostava de me aninhar. Aquele corpo que era meu abrigo, minha proteção, meu conforto, minha alegria.

Os dias estavam lindos, ao contrário do meu estado de espírito. Um céu azul diáfano, indiferente aos sofrimentos humanos, se estendia até o horizonte. Pássaros esvoaçavam por entre as árvores floridas dos jardins. A grama muito verde parecia um tapete que convidava a piqueniques, passeios e brincadeiras ao ar livre. Os ipês magníficos em sua floração amarela enfeitavam as ruas. Toda a natureza, insensível ao que se passava comigo, era uma espécie de ironia.

Um de seus colegas de militância, o Carlos, esteve preso no mesmo quartel e foi solto. Veio me ver e trouxe notícias:

– Danilo está no quartel onde eu estive. Está mesmo sendo interrogado. Claro que não é um interrogatório civilizado, há pressão, há ameaças, há tortura, mas ele está resistindo bravamente. Nos cruzamos por duas vezes no pátio e ele me fez sinais positivos. Achei que estava com bom aspecto. Não estava abatido como outros colegas. Como eu fui solto, há também esperança de Danilo conseguir sair com vida. Não desanime... qualquer hora ele chega em casa.

Eu contava os segundos, os minutos, as horas, os dias, numa impotência sem limites. Sentia-me inútil, indefesa, mergulhada no ódio aos militares que tinham transformado minha vida e a vida do país naquele inferno. O absurdo do arbítrio, da perseguição, da repressão estava ali diante de mim de forma concreta. Não eram apenas alusões, insinuações, relatos vagos ou comentários superficiais dos quais eu pudesse me distanciar. Era a crua verdade. Danilo estava preso e corria risco de morrer, como sabíamos que outros companheiros tinham terminado, eliminados sem piedade.

Passei muitas noites insone, andando pela casa, sem sossego. O vazio daquela ausência me atormentava. Mesmo sem ter muita fé, apelava para as orações que tinha aprendido na infância e no colégio das freiras. Cheguei a rezar rosários inteiros em busca de apoio. Às vezes, me revoltava, abandonava as orações e mergulhava numa desesperança escura e amarga. Deixava-me levar pelo desespero. Num certo momento, comecei a percorrer as igrejas da cidade, de todos os credos, em busca de consolo e fé. Entretanto, nada me apaziguava o coração e a mente. Enfrentei um embate com Deus: por que ele permitia tanta injustiça com jovens inocentes? Por que ele não me atendia em minhas preces? Estava surdo aos meus apelos? Estava cego ao que acontecia? Era indiferente à sordidez da tortura? Ou não existia?

Algumas vezes eu me distanciava da realidade e via tudo como se fosse um filme, alguma coisa que estivesse acontecendo com outras pessoas e não comigo. Era um sentimento estranho, de alienação, de distanciamento, de afastamento dos problemas reais. Não era comigo, não era verdade, não estava acontecendo mesmo.

Enfim, numa manhã fria, Danilo voltou para casa. Abriu a porta vagarosamente e me encontrou na cadeira de balanço junto à janela. Levantei-me.

– Danilo, Danilo, que bom que está aqui!

Abraçou-me longamente. Percebi lágrimas discretas escorrendo pelo seu rosto. Tinham cortado os seus cachos louros bem curtos, quase raspados. Estava mais magro, com hematomas pelo rosto, olheiras profundas, silencioso, sem vontade de conversar. Mesmo assim meu coração transbordava de alegria de tê-lo de novo em casa, vivo. Não lhe perguntei nada. Arrastou-se lentamente para o chuveiro e tomou um longo banho morno, colocou um pijama limpo e disse:

– Preciso me deitar para dormir um pouco. Estou muito, muito cansado.

Preparei um mingau de fubá com pedacinhos de queijo mineiro de que ele gostava muito. Quando cheguei ao quarto, ele ainda não tinha conseguido dormir. Sentei-me na cama com o prato no colo. Ele se recostou na cabeceira da cama e timidamente sorriu agradecido. Fui levando as colheradas à sua boca devagar, silenciosa. Ele foi tomando aos pouquinhos. Quando se sentiu satisfeito, empurrou levemente a minha mão. Estava muito fraco, sem forças. Percebi também que se sentia humilhado, como se tivesse vergonha do que tinha passado. Conviver com as próprias fragilidades, com as vulnerabilidades e experimentar a força do inimigo o deixavam inferiorizado. Coloquei o prato na cozinha, procurei uma pomada analgésica e fui passando nas manchas roxas pelo seu corpo. Ele se virava na cama e eu ia encontrando mais e mais hematomas.

Supunha tudo o que tinha sofrido e que queria esquecer. Ou talvez não quisesse esquecer, pois aquilo poderia servir para alimentar com evidências concretas a sua indignação e revolta. Poderia servir de combustível para novas investidas.

Fechei as cortinas do quarto e me sentei na poltrona ao lado da cama. Quando conseguiu dormir, foi de tempos em tempos sacudido por pesadelos assustadores. Acordava subitamente, trêmulo, aflito, e voltava a dormir um sono tumultuado. Meu desejo era embalá-lo no colo como a um bebê recém-nascido. Queria protegê-lo, queria confortá-lo, queria assegurar que nenhum mal iria atingi-lo. Queria ajudá-lo a esquecer tudo o que havia sofrido, queria poder apagar de sua memória a tortura, a dor, a humilhação e o sofrimento. Fiquei muitas horas em silêncio vigiando seu repouso. À noite me deitei silenciosamente ao seu lado.

Passaram-se alguns dias sem que os companheiros aparecessem, pois suspeitavam que nossa casa estivesse sendo observada. E estava mesmo. Indivíduos misteriosos rondavam o quarteirão. Havia sempre um carro preto em frente ao nosso edifício. O medo foi se apossando do meu coração. Era um pavor horrível do que poderia vir a acontecer. Uma sensação constante de pânico, insidiosa, que me envolvia e me paralisava. Passava as noites me virando na cama sem sossego, insone, atormentada por pensamentos tenebrosos. Tinha medo de adormecer e ter pesadelos. A perspectiva do futuro era desesperadora, aflitiva, um verdadeiro suplício.

Involuntariamente imaginava situações trágicas. Nós dois presos, torturados, mortos. Não conseguia controlar minha mente. Por mais que tentasse mudar meus pensamentos, o terror voltava a ocupá-los. A reação de nossas famílias era uma preocupação constante. Não queríamos que sofressem por nossa causa. O medo alterava minha visão e minha audição. Eu vivia num vácuo, surda para os ruídos do mundo, cega para a movimentação da vida em torno de mim. Danilo percebeu que eu não estava bem. Tentava falar comigo e, muitas vezes, eu não respondia, absorta, congelada, paralisada.

Fomos passar uma temporada na casa dos pais de Danilo, que moravam nos arredores da cidade, numa chácara, quase na zona rural. Ali conseguimos passar uns dias mais tranquilos. Mas sempre apreensivos, supondo que a polícia do exército estivesse preparando um ataque surpresa. Saberiam onde estávamos? Teriam nos seguido? Teriam informações sobre nossos pais? Qualquer ruído nos deixava prevenidos, de sobreaviso.

Uma noite, depois do jantar, estávamos sentados na varanda quando o pai de Danilo, seu Luiz, puxou conversa. Era um homem calmo, baixo, um pouco gordo, de fartos cabelos brancos. Sempre tinha vivido no campo e sua pele morena trazia as marcas do trabalho ao sol. Nunca fora autoritário, e era um ótimo ouvinte. Gostava de contar histórias fantásticas de suas aventuras na lavoura e na criação de animais. Amava os cavalos e era um ótimo cavaleiro. Bem informado, lia jornais e acompanhava os acontecimentos políticos com interesse, preocupado com o filho.

– Danilo, estou sabendo que o Padre Henrique foi assassinado em Recife. Ele era assistente de Dom Hélder Câmara. Soube disso na igreja depois da missa. Você não pensou na possibilidade de sair do país? Muitas pessoas estão se exilando por conta própria. É uma forma de se preservar vivo. Aqui as coisas estão cada vez piores, mais arriscadas para os militantes. Você corre risco de perder a vida... Sei o que está acontecendo por aí... Podemos organizar sua saída pelo Mato Grosso. Vocês podem cruzar a fronteira a pé para o Paraguai. Temos amigos que podem ajudar. Depois pegam um avião para a Europa. Tenho algumas economias... posso bancar sua vida lá fora.

– Nem pense nisso, meu pai. Não gaste seu latim. Eu sou brasileiro. Só me sinto bem no meu país. Ele precisa de mim. Imagine se todos nós que lutamos pela democracia resolvermos abandonar o país à própria sorte. Os militares vão se perpetuar no poder. Este é o meu país... é aqui que vou ficar... é por ele que vou lutar... e, se preciso, morrer. Eu não tenho medo. Eu tenho é muito ódio ao que estão fazendo conosco.

– Mas é uma luta desigual, meu filho. Eles têm todas as forças armadas... e bem armadas. Estão muito organizados. Têm o poder e têm ajuda externa, você sabe. Os empresários também estão colaborando com a repressão. Vocês são um bando de jovens desarmados e desorganizados. Isso não pode acabar bem. Pense no que eu propus. Posso ajudar. Depois que as coisas acalmarem vocês voltam.

Dona Elisa, a mãe de Danilo, acrescentou:

– Filho, eu ficaria muito mais tranquila com você fora do país. Pense melhor. Não podemos continuar vivendo um sobressalto atrás do outro. É demais para o meu coração de velha. Você em outro lugar me deixaria mais sossegada, apesar da saudade. Tantas pessoas já se abrigaram no sul, na Europa e até em Cuba. Pense nisso. Seria um período de estudos, de novas experiências.

– Vamos mudar de assunto. Eu não aceito o autoexílio. Meu lugar é aqui.

Fiquei em silêncio. Reconheci no rosto e na expressão de Danilo aquela força inabalável. Seus músculos da face se enrijeceram, seus olhos ficaram mais brilhantes. Uma fagulha de energia saltava de suas palavras. Eu compreendia a posição do seu Luiz e de dona Elisa, mas também compreendia o ânimo do Danilo. Ninguém conseguiria demovê-lo de seus ideais. Bem que naquele momento eu tive vontade de seguir os conselhos dos meus sogros. Eu estava tão apavorada, em pânico, que aquela saída me parecia uma boa solução. Mas não falei nada. Sabia que não ia adiantar. Eu tinha muito cuidado em não revelar o meu imenso medo.

Cerca de um mês depois voltamos para nossa casa. A rotina restabeleceu-se devagar. Nessa época eu estava terminando o curso de Arquitetura, já com interesse em paisagismo.

O clima na faculdade estava tenebroso. A universidade tinha sido violentamente invadida e estava ocupada por militares. Eles entravam nas turmas e ficavam ouvindo as aulas. Patrulhavam os pátios e corredores. Andavam em duplas, com os cassetetes na horizontal, desmanchando os grupos de alunos que conversavam de forma inofensiva. A intimidação era tão forte que não nos atrevíamos a falar alto ou reagir.

Suspeitávamos de que havia falsos alunos infiltrados nos cursos com o objetivo de espionar e delatar quem fosse politicamente ativo no movimento estudantil de reação à ditadura militar. Eram colegas que misteriosamente apareciam nas aulas sem que soubéssemos que tinham se submetido ao vestibular. Ouvíamos comentários de que alguns alunos tinham sido presos depois de delatados, mas não havia como saber com certeza. Os diretórios estudantis haviam sido dissolvidos, não restava espaço para debates ou manifestações.

Um dos nossos professores foi compulsoriamente aposentado de maneira súbita, no meio do semestre. Era uma autoridade na disciplina que lecionava, reconhecido internacionalmente. Tínhamos desenvolvido com ele uma ótima camaradagem. Parecíamos colegas de profissão.

Ele disse:

– Caros alunos, lamento, mas fui sumariamente demitido e não poderemos prosseguir com o curso. Com certeza vocês terão um professor substituto que vai levar o semestre até o fim. Foi uma experiência gratificante trabalhar com vocês. Sinto muito deixá-los, mas os tempos estão muito difíceis.

Tentamos, timidamente, ensaiar uma reação em solidariedade:

–Vamos reagir, vamos fazer uma passeata até a reitoria para protestar. O senhor não pode sair assim, sem mais nem menos.

– É isso mesmo, vamos reagir!

– Claro, temos que fazer barulho! Isso não pode ficar assim.

– Nem pensem nisso. Pode ser pior para todos. A repressão pode ser cruel. Tanto para mim como para vocês o risco de uma reação truculenta é grande. Poderíamos todos ir presos. Aí seria muito pior. Fiquem quietos.

Despedimo-nos com abraços silenciosos. A emoção invadira o ambiente e muitos estavam a ponto de chorar. Era um professor querido e tínhamos criado laços de afeto com ele e de respeito pela sua competência.

Era o medo, o terror que se entranhava nas atitudes e no comportamento de todos. Meus colegas sabiam que eu era casada com Danilo, que tinha sido líder estudantil antes de se formar e que ainda militava ativamente nos movimentos de reação aos militares. Protegiam-me, evitando falar nesse assunto, perguntar, insinuar que sabiam de alguma ação ou manifestação programada. E eu, discretamente, também nunca tocava nesse tema.

Nesse último período do curso suspeitei que estava grávida. A menstruação atrasou e resolvi fazer um exame. Quando o resultado saiu, abracei aquele papel e senti um misto de alegria, medo e preocupação. A princípio surgiu um grande estranhamento com o meu corpo. Algum fenômeno novo estava acontecendo ali. Eu já não era apenas só eu. Um novo ser habitava minhas entranhas. Era uma felicidade muito grande esperar um filho, mas também era um compromisso para toda a vida que eu não tinha segurança de estar pronta para assumir.

Já estava estagiando numa firma de arquitetura. Trabalhava com o paisagismo das obras que os arquitetos projetavam. Ganhava algum dinheiro, que, junto com o que Danilo recebia pelo seu emprego de pesquisador, era o suficiente para nos manter.

Mas como seria com um filho? E eu estaria pronta para educar uma criança? Estaria suficientemente preparada para cuidar de uma outra pessoa pela vida toda? Nossa vida mudaria muito? Éramos um casal já afinado o bastante para arcar com essa responsabilidade? Era para a vida toda! E como seria dividir o afeto com uma terceira pessoa? E como as perspectivas políticas prenunciavam um longo período de repressão, qual futuro ofereceríamos a uma criança? Que país ela encontraria para viver? Qual a possibilidade de lhe assegurar uma vida tranquila?

Essa grande mistura de sensações me envolveu assim que abri o resultado do exame. O mistério da vida que nascia e crescia dentro de mim envolveu-me completamente. Um filho... uma nova vida... Eu era eu mesma, mas era outra. Havia uma nova vida sendo gerada dentro de mim. Em meio a tanta apreensão, uma esperança irrompia, um novo ponto de partida.

À noite, quando Danilo chegou do trabalho, encontrou o exame colado no espelho do banheiro com um sapatinho de tricô pendurado. Correu para a cozinha e me abraçou trêmulo de alegria. Beijava-me a testa, os olhos, os cabelos, os lábios, numa ânsia incontida de extravasar sua emoção. Depois dançou e cantou canções infantis rodopiando pela sala. Nunca pensei que ele ficaria tão feliz com a notícia de que ia ser pai. Abriu uma garrafa de vinho e colocou um disco de samba que ele adorava e dançamos juntos noite adentro. Quando fomos dormir estávamos exaustos, mas excitados. Ficamos conversando no quarto escuro até nos acalmarmos. Ele preferia que fosse um menino, mas ficaria igualmente feliz com uma menina. Sugerimos nomes, adivinhamos sua personalidade, suas características, suas escolhas, brincando com a imaginação.

Desde menina eu gostava de ler. Primeiro foram os gibis: Pato Donald, Bolinha e Luluzinha, Lili, Mandrake, Fantasma... Em seguida as fotonovelas traduzidas do italiano com adaptações de romances europeus clássicos e fotos de artistas que representavam as cenas do enredo. Depois as histórias de amor em revistinhas semanais, que tinham sempre a mesma trama: uma moça pobre era seduzida e abandonada, mas encontrava um rapaz rico que a acolhia, perdoava sua fraqueza do passado e eram felizes para sempre. Até que descobri a literatura.

No colégio, o professor de língua portuguesa indicou a leitura de *Clarissa*, de Érico Veríssimo. Demorei para engrenar na leitura, mas, depois dos primeiros capítulos, deixei-me envolver pelo mundo daquela adolescente, que, da mesma forma que eu, descobria o próprio corpo e o mundo. Aquilo era infinitamente melhor que os contos de amor da banca de revistas. Eu me identificava profundamente com a personagem. Começava então uma paixão pelos livros que me acompanharia sempre.

Meu pai tinha profunda admiração pelos livros. Como se alfabetizara muito tarde, não era um bom leitor, mas reconhecia o valor dos livros e formou uma pequena biblioteca de clássicos. Durante a adolescência, descobri os românticos e li José de Alencar numa edição antiga da Garnier, de capa dura forrada de percalina verde. Ainda tenho essa coleção na minha estante. Depois conheci Machado de Assis, Lima Barreto, Vieira, para então, por influência das colegas da escola, chegar à descoberta dos contemporâneos: Clarice Lispector, Rubem Braga, Fernando Sabino, Guimarães Rosa, Graciliano Ramos, José Lins do Rego...

Na juventude apaixonei-me pela poesia de Thiago de Melo, Vinícius de Moraes, Manuel Bandeira, João Cabral de Melo Neto, Cecília Meireles, Fernando Pessoa, Ferreira Gullar e Carlos Drummond de Andrade. A literatura estrangeira foi chegando aos poucos: Balzac, Steinbeck, Hemingway, Fitzgerald, Kafka, Sartre, Rilke, Camus, Proust.

Quando Danilo saía por algumas horas, era nos livros que encontrava apoio, consolo e uma certa paz. Ele também gostava de ler. Admirava os poetas, os romancistas. Isso nos aproximava. Amava as artes plásticas, principalmente a pintura; e lia as biografias dos pintores com prazer. Para ele a arte era necessária como o ar. Sempre que possível, frequentava museus e exposições. Tinha um aguçado senso crítico e era capaz de defender suas preferências com argumentos consistentes.

Gostávamos de apreciar álbuns de pintura. Às vezes concordávamos, outras vezes discordávamos, e o debate sobre as obras atravessava muitas horas. Eu defendia as instalações da arte contemporânea e ele preferia a pintura, pois não compreendia o propósito daquelas provocações. Nossas conversas eram agradáveis momentos de encantamento.

Na semana seguinte, vindo do trabalho, entrei novamente na livraria. Apenas dois ou três clientes silenciosos olhavam as estantes ou folheavam livros. Comecei por observar quais eram os últimos lançamentos, colocados numa mesa larga no meio da loja. De alguns já tinha lido resenhas, mas nada me interessava especialmente.

Francisco aproximou-se suavemente:

– E então, gostou do livro?

– Gostei muito. Li numa única noite. Você tinha razão, é impossível parar de ler *Crônica de uma morte anunciada.*

– É, quando eu li também foi assim, não consegui parar. Depois desse, li quase todos do Gabriel García Márquez. A literatura latino-americana tem produzido obras maravilhosas. Você já leu Borges, o argentino?

– Já li a *Antologia pessoal*. O que você me recomenda?

– Olha, dele tudo é muito bom. Mas você deveria ler *O Aleph*, que é um conjunto de contos inesquecíveis. Tenho certeza de que vai gostar. Aqui está.

Entregou o livro com os olhos brilhando, como quem dá um presente dos deuses. Era imensa a sua alegria de apresentar Borges a uma leitora interessada em bons livros.

– Gosto dessa experiência de indicar livros mais que tudo na livraria. Estou sempre atrapalhado com os controles, as contas, e ainda não me habituei a ser um negociante verdadeiro. Meu sonho de ter uma livraria não incluía as obrigações administrativas. Pensava apenas em viver entre os livros. Agora estou enfrentando a realidade e encontro dificuldades. Por isso, procuro atender os fregueses pessoalmente, para assegurar um espaço de prazer no trabalho.

Ele observou a minha reação. Estava curiosa e passei os olhos pela contracapa.

Enquanto ela lia o pequeno parágrafo, Francisco observou que o rosto de Ângela *ainda guardava os reflexos da beleza que devia ter tido na juventude, mas era marcado por uma dor profunda. Talvez alguma perda. Talvez uma desilusão. Uma suavidade emanava de seu perfil, e os cabelos castanhos e sedosos exalavam um perfume discreto. Seu corpo maduro, de formas equilibradas, com seios fartos e cintura estreita, vestido de forma clássica, com uma calça comprida preta e uma blusa larga de malha, inspirava sensualidade. Mas o semblante traía um sofrimento antigo, uma marca enigmática. Francisco teve vontade de mergulhar no mistério daquela vida, de investigar seus silêncios e seus desejos, de compartilhar interesses e emoções. Sua respiração tornou-se mais acelerada. Conteve o impulso momentâneo e distraiu-se com outro comprador.*

A livraria agora estava quase vazia. Ali as horas tinham outra dimensão e pareciam passar mais lentamente. Atraída pela energia que Francisco criara, aproximei-me do caixa, onde recebia os pagamentos. Enquanto ele fazia os cálculos, o meu olhar fixou-se no seu rosto jovem, na sua pele morena e dourada, nos seus cabelos desordenados. Até que nossos olhares se cruzaram. Alguma faísca vinda daquele olhar profundo eletrizou-me. Tive a sensação de ter a alma desvendada em segundos. Por um momento mantivemos os olhos fixos um no outro. Disfarcei, guardei o troco e despedi-me:

– Vou passar o fim de semana com Borges. Vai ser o meu programa. Até mais.

– Espero que goste. É um dos meus escritores prediletos. Até logo. Bom final de semana.

Enquanto Ângela saía, Francisco pensou no seu próprio fim de semana. Anteviu dois dias vazios, sem trabalho e sem perspectiva. Talvez um encontro com amigos em um bar, uma sessão de cinema e depois a solidão. Imaginou Ângela *mergulhada na leitura e essa visão aqueceu seu coração com alegria. A sensação da descoberta de um bom livro era um mistério excitante. Imaginava as emoções que* Ângela *iria viver e compartilhava seu prazer.*

Passei o dia de pijama. Fiz apenas as tarefas inadiáveis: molhar as plantas, preparar um café, lavar a louça. Coloquei no som um CD de Astor Piazzola, para trazer um clima de Buenos Aires, e mergulhei no livro de Borges.

A princípio estranhei aquela prosa densa e entremeada de citações e referências a situações exóticas. Mas fui me envolvendo naquele mundo mágico dos diversos contos. Revivi o desespero de Emma Zunz, que planejou e executou com precisão a vingança do pai. Vivi a sensação insuportável de *déjà vu* provocada pela visão do Aleph. Mergulhei nos labirintos, nos sonhos, nos espelhos criados por Borges, que, associando tradição e universalismo, é um cosmopolita erudito.

De vez em quando a imagem de Francisco surgia nas entrelinhas do livro. E um diálogo com ele, sugerido pelos textos, envolvia o meu pensamento. Senti calor no rosto. Minha respiração acelerou-se. Sensações que há muito tempo estavam adormecidas começaram a surgir. Será que ele é casado? Como será sua casa? Quais serão os seus hábitos? Que música gostará de ouvir? Tentei afastar essa curiosidade, censurando-me pelo devaneio. O que é isso? O que estou fazendo? Como estou me deixando levar por essa curiosidade?

Abandonei o livro, abracei-me com as almofadas do sofá e me lembrei de Danilo. Tínhamos sido felizes, de uma felicidade cheia de sobressaltos. Ele era calmo, obcecado por política. Seu amor era contido, com raras efusões sentimentais. Era como se a felicidade amorosa fosse alguma coisa a que não tivesse direito num mundo tão cheio de desigualdades, como se o amor fosse um luxo, uma extravagância, um exagero. Seus sonhos estavam sempre ligados ao bem-estar coletivo. Detestava o individualismo e as preocupações pequeno-burguesas com a acumulação de privilégios pessoais. Tudo tinha que ter um reflexo social, uma consequência coletiva.

Eu o admirava de forma incondicional. Nunca fui tão envolvida em política como ele e prezava minha segurança. Não tinha a generosidade dele de se oferecer assim francamente para o combate, mesmo sabendo de todos os riscos que corria. Para ele a luta política contra a ditadura vinha em primeiro lugar. Toda a sua energia, todas as suas preocupações e iniciativas tinham como foco a militância política. Eu compreendia e respeitava suas opções solidariamente.

Já me acostumara com essa hierarquia e acreditava que seria exigir demais esperar uma vida em comum em que eu ocupasse o primeiro lugar. Essa constatação me deixava um pouco triste, melancólica, mas me conformava. Eu ainda trazia na imaginação vestígios da literatura romântica que conhecera muito jovem. Via o futuro de forma imprevisível, sempre com medo de que o pior pudesse acontecer a qualquer momento.

Embora o Brasil vivesse hipnotizado pelo tricampeonato mundial de futebol no México, as notícias que corriam de boca em boca eram as piores possíveis. Um decreto instituíra a censura prévia a espetáculos e publicações. Os sequestros do cônsul japonês Nobuo Okuchi, em São Paulo, do embaixador alemão no Brasil, Ehrenfried Holleben, e do embaixador suíço, Giovanni Enrico Bucher, no Rio, em troca de prisioneiros, provocam cada vez mais a ira da máquina repressora.

Líderes da militância de esquerda (Mário Alves, Joaquim Câmara Ferreira – o Toledo –, Stuart Angel...) são sucessivamente sequestrados, torturados e mortos. Os porões do DOI-Codi (Destacamento de Operações de Informações – Centro de Operações de Defesa Interna) assombram todos os militantes. Jornalistas do Pasquim são presos. O deputado Rubens Paiva desaparece. Danilo vivia sobressaltado. A cada notícia ruim reagia de forma visceral.

Em reação a tudo que as Forças Armadas empreendiam, o industrial Henning Albert Boilesen, conhecido patrocinador da Operação Bandeirantes (que coordenava as ações dos órgãos de combate às organizações armadas de esquerda) e dos aparelhos de tortura, foi assassinado em São Paulo. Olho por olho, dente por dente.

Danilo era contra a luta armada, contra a violência, mas compreendia a opção de seus colegas e era solidário. Os dois lados se enfrentavam num embate desigual. Era uma convulsão, mas tudo ficava abafado como brasas cobertas de cinzas. Sob a superfície de ordem e progresso, corria um rio de sangue de jovens, de intelectuais, de professores, de jornalistas...

Quando Carlos Lamarca, um dos comandantes da Vanguarda Popular Revolucionária (VPR), organização da guerrilha armada que combatia o regime, é morto na Bahia, Danilo cai em profunda depressão. Triste pelos cantos, sem vontade de conversar, sem vontade de comer. Longos suspiros de desalento e desesperança, era tudo o que eu ouvia dele. A imprensa tinha sido proibida de dar qualquer notícia sobre a morte para proteger a segurança nacional e evitar a criação de um mito. Mas os militantes tinham um serviço de informação clandestino e os acontecimentos eram logo conhecidos. Semanas inteiras se passaram, e Danilo continuava abatido. Parecia que tinha perdido alguém da família. Entretanto, a chama não se apagara e ele foi, pouco a pouco, reagindo à melancolia e à tristeza. Vivia nesse ritmo bipolar de desilusão e esperança.

As sucessivas campanhas contra a guerrilha do Araguaia, em Xambioá, no Pará, se desenvolviam, violentas, brutais, sangrentas. Em emboscada preparada pelo Major Curió, o estrategista de toda a perseguição, os líderes da guerrilha são apreendidos e mortos. Mais de quatro mil homens do exército, em três operações, se encarregaram de varrer os vestígios da reação armada à ditadura, cada vez mais feroz e ameaçadora. E eram apenas cerca de oitenta jovens idealistas. Danilo sofreu muito com a derrota dos militantes que corajosamente sonhavam com uma luta que derrubaria o governo. Eram verdadeiros Quixotes lutando contra moinhos de vidas.

Cabo Anselmo é preso pela equipe do delegado Fleury e entrega vários militantes, que terminam por ser presos e desaparecem. Todas essas notícias afetam Danilo profundamente. Ele parece viver sobre um fio de navalha. Silencioso, engolia a raiva e a indignação sob uma face endurecida e tensa.

A Anistia Internacional, que começa a se manifestar contra o arbítrio, é proibida de figurar na imprensa. O silêncio é total, e a população permanece desconhecendo os conflitos e as manobras perversas empreendidas pelos agentes da repressão.

O Brasil está enfeitiçado pelo "milagre brasileiro", pelo sonho da Transamazônica, de Itaipu, da ponte Rio-Niterói. O povo, alheio aos acontecimentos aterrorizantes entre os militares e os militantes, leva a vida normalmente. Os jornais, censurados, publicam receitas de gastronomia e poemas nos espaços destinados às matérias proibidas de circular. A população continua sua rotina, ignorando o que ocorre sob o manto obscuro de uma aparente ordem social.

Chega a notícia de que a peça *Calabar, o elogio da traição*, de Chico Buarque e Ruy Guerra, é interditada às vésperas da estreia. Danilo se enfurece:

– A cultura está ameaçada, o pensamento e a reflexão estão sendo duramente reprimidos. São as garras da ditadura e da censura exercendo sua força. Temos que continuar reagindo.

Alexandre Vannucchi Leme, aluno da Universidade de São Paulo, é sequestrado, torturado e morto nas dependências do DOI-Codi, em São Paulo. Cerca de três mil estudantes vão à missa na Sé, oficiada pelo cardeal Dom Evaristo Arns e mais vinte e quatro padres.

Danilo comemora:

– Que maravilha! Que coisa extraordinária! Parece que vai se tornando impossível esconder os crimes da ditadura. Com uma manifestação desse tamanho todos ficam sabendo o que ocorreu. Não há mais como esconder! Não e possível que o povo fique indiferente. Não se pode concordar com tudo isso que está acontecendo. Todos têm que tomar consciência desse arbítrio.

Sempre que acontece algum fato assim, renova-se em Danilo a esperança de que a reação e a resistência consigam arrefecer o regime de exceção. Mas tudo estava por um fio e os militantes corriam sérios riscos. O cerco estava cada vez mais fechado.

Nesse clima de terror, eu temia pelo que Danilo poderia estar tramando. Sua segurança estava sempre ameaçada, mas ele não se intimidava. Inquieto, estava sempre entre os militantes que programavam ações cada vez mais ousadas e perigosas.

Atormentada pelos enjoos da gravidez, eu enfrentava apreensiva a dúvida e o medo. Tentava me distrair porque sabia que a ansiedade, o desassossego, o nervosismo poderiam prejudicar o bebê que crescia no interior do meu corpo. Inocente, puro, indefeso, ele não poderia reagir aos sofrimentos que nos surpreendiam a cada minuto. As ameaças da situação política estavam cada vez mais próximas de nós. E eu tentava inutilmente evitar que tudo isso afetasse o desenvolvimento saudável daquela criança.

Mesmo assim, eu não conseguia engordar o suficiente para garantir o crescimento normal do bebê. As tenebrosas perspectivas de futuro me deixavam inapetente, sem ânimo, sem coragem para nada. Fui, a duras penas, preparando o enxoval. Minha mãe tentava me estimular, me tirar da depressão, levando-me para comprar roupinhas, sapatinhos, enfeites. Observar os seus esforços para me animar me deixava mais desconfortável e constrangida. Mas a apatia era um sentimento incontrolável.

Naquela noite tive um presságio sinistro. Fui assaltada por um medo indescritível. Danilo saíra de casa para encontrar os antigos companheiros do diretório acadêmico. Fiquei em casa fazendo uma manta. Eu não era habilidosa com as mãos, mas minha mãe me ensinara dois ou três pontos de tricô e eu estava entusiasmada com a confecção por minhas próprias mãos de uma peça para o bebê. As horas foram passando e a noite avançava. Tentei, mas não conseguia dormir.

Quando dava algum cochilo, tinha pesadelos horríveis. Sonhei que estávamos viajando por uma estrada de terra num jipe muito velho e começamos a ser perseguidos por uma patrulha do exército. Tentávamos correr, mas o jipe não correspondia, rosnava, engasgava, soluçava, trepidava. Entramos por uma vereda auxiliar e atravessamos um riacho. Era noite fechada. Apenas os fracos faróis do jipe iluminavam o caminho tortuoso. A patrulha se aproximava velozmente. Ouvíamos o ronco do seu motor. Apagávamos os faróis para confundir os perseguidores, que estavam cada vez mais perto. De repente despencamos numa ribanceira. Acordei com o coração palpitando, aflita, trêmula. Levantei-me. Nenhum telefonema, nenhuma notícia. Andava pela casa, ia à cozinha, tomava um chá, nada me ajudava a encontrar novamente o sono. Alguns ruídos nas escadas do prédio me alertavam, mas nada acontecia. Danilo não voltara para casa nessa noite.

Quando o dia clareou, o pressentimento virara uma pedra no meu coração. Algum indício consolidara em meu pensamento a certeza de que uma tragédia estava acontecendo. Esperei amanhecer sentada na cadeira de balanço junto à janela.

Quando o telefone tocou sabia que era Pedro, o companheiro mais próximo de Danilo.

– O que houve, Pedro?

– Ângela, nem sei como dizer. Foi horrível. Não sei como consegui fugir. Estou escondido na casa de uns parentes. Danilo foi preso e está ferido. Estávamos colando cartazes convocando para a marcha. Eles chegaram de repente. Já vieram atirando... Foi isso. Mas fique tranquila, cuidado com o bebê.

– Não posso acreditar...

– No fim dará tudo certo. Não faça nada por enquanto. Vá para a casa de seus pais. Não fique sozinha.

– Sim, Pedro. Estou bem...

Vesti-me rapidamente e saí. Peguei um táxi e me dirigi ao Departamento de Ordem Política e Social (Dops), onde ficavam os presos políticos para uma triagem. Tentei entrar sem passar pela portaria, mas fui impedida. Pedi para falar com o comandante de plantão, dei o nome de Danilo e aguardei horas na sala de espera.

Era uma sala escura, com bancos duros de madeira. Um pouco de luz entrava pelos basculantes. As paredes pintadas de verde com lambris de madeira até a metade. Senti que era a antessala do inferno. Por alguns momentos tive a impressão de ouvir choro, gemidos, gritos abafados que vinham de longe. Tentei apurar o ouvido, mas os sons desapareciam. Achei que estava delirando, que minha imaginação é que produzia aquilo. Pensei também ouvir tiros. E eles estavam cada vez mais perto. Um guarda veio me explicar:

– É apenas um treinamento com balas de festim.

Não me convenceu. Via pela vidraça que, no portão ao lado, passavam camburões incessantemente. Além do motorista, via-se um militar empunhando uma metralhadora apontada para fora da janela. Provavelmente transportando presos. Estiquei o pescoço tentando enxergar melhor quem ia no fundo daqueles carros sinistros. Não pude ver nada. Mas minha imaginação pressentia que misteriosos procedimentos de traslado eram feitos naquelas camionetes. Outras pessoas também aguardavam. Todos queriam saber notícias de familiares. Alguns choravam e eram consolados. Outros pareciam enfurecidos, mas se controlavam, sob a ameaça evidente dos oficiais armados.

Um ajudante de ordens veio e me disse que voltasse no dia seguinte, que o meu caso estava sendo analisado. Quis reagir, mas fui aconselhada, por um senhor que estava aguardando também, a obedecer.

– Não faça nada. Pode ser pior. Eles não estão brincando. Você também corre risco de ser presa por desacato e por ligações com terroristas. Vá para casa. É melhor.

Arrastei-me para a casa dos meus pais, onde chorei desesperadamente. Impotentes, eles tentavam consolar-me. Minha mãe oferecia café, biscoitos, sanduíches, bolo, doces, frutas. Sua forma mais evidente de dar carinho era a comida. Insistia para que eu comesse alguma coisa, que pensasse no bebê que estava vindo. Meu pai, muito preocupado, mas silencioso, acariciava-me os cabelos. Mas eu estava num estado desesperador. Tudo em volta estava turvo. Nada tinha mais significado para mim.

No dia seguinte, voltei ao Dops e recebi a mesma recomendação: que voltasse amanhã. E assim nos dias seguintes, até que consegui a informação de que Danilo fora transferido para outra prisão – o Pelotão de Investigação Criminal na Polícia do Exército (PIC). Procurei esse outro quartel, mas não obtive resposta se Danilo estava ali ou não. Peregrinei por gabinetes e salas de espera durante muito tempo sem encontrar uma informação positiva. Exausta e sem ter a quem pedir ajuda, me desesperei e quis denunciar o caso aos jornais.

Procurei Ronaldo, um jornalista amigo, que tinha sido nosso vizinho de porta, e expliquei tudo. Mas ele, reticente, me esclareceu:

– Ângela, nós estamos todos sob censura prévia. Tudo que sai deve ser lido antes pelo censor, que está de plantão dentro da redação. Nenhum jornal está autorizado a publicar notícias sobre a repressão. Não podemos correr riscos. A qualquer momento os jornais podem ser fechados. Há muitos jornalistas presos.

Em meio a informações desencontradas, um coronel, na recepção do quartel, me disse:

– Desista de procurar seu marido, ele não foi preso e, com certeza, abandonou a família voluntariamente.

Tive ímpeto de cuspir no seu rosto, mas me contive a tempo para não ser presa também. Saí para a rua nauseada e, encostada a uma árvore, vomitei... Coloquei para fora toda a minha raiva, meu ódio, minha indignação, minha amargura, meu desconsolo... Algumas pessoas se aproximaram oferecendo ajuda. Trouxeram água e me ampararam. Agradeci, atordoada e fraca. Voltei vagarosamente para casa.

Companheiros que conseguiram sair da prisão testemunhavam que haviam visto Danilo dentro do quartel. Alguns ouviram sua voz, outros participaram de sessões de tortura junto com ele. Eram notícias ruins, mas era a certeza de que estava vivo. Havia uma tênue possibilidade de que escapasse com vida, que voltasse para casa qualquer dia, qualquer hora. Eu olhava para a porta esperando que num momento ele entrasse. Não perdia a esperança de reencontrá-lo. Era frágil, mas era uma esperança.

Sabia que Danilo resistiria bravamente às torturas, que não entregaria ninguém, nenhum de seus companheiros. Sua fibra de revolucionário o faria aguentar tudo. Era de uma raça que já nascia engajada e que acreditava que o sentido da vida era a defesa das liberdades sociais. Nada para ele tinha tanta importância como lutar pela igualdade, pela justiça, pelo estado de direito, pela democracia plena.

Eu tinha certeza de que ele sempre estivera disposto a dar a vida pela causa da liberdade e que se chegasse o momento não hesitaria em entregar suas últimas forças sem fraquejar um só instante. Não buscava o heroísmo, nem a fama, nem a designação de mártir. Queria apenas cumprir sua missão, sua tarefa, sua obrigação diante das injustiças que tornavam nosso país tão desigual.

Eu me lembrava de seu rosto, de suas mãos, de sua pele macia, de seus cabelos claros e encaracolados, de seus olhos tão decididos, da força do seu pensamento e da energia das suas convicções. Buscava suas fotos e conversava com elas como uma louca, desvairada, desequilibrada. Sua ausência era uma fonte infinita de dúvida, de sofrimento, de angústia, de saudade, de pesar, de desolação. Eu não podia imaginar o que seria da minha vida. Não sabia como continuaria a enfrentar os dias sem ele. Me perguntava quais os horizontes que se abririam para mim sem o seu apoio. Angustiava-me sem saber se poderia criar uma criança sem a presença do pai.

– Quem é esse traste terrorista? E está machucado?

– Chama-se Danilo. Tava colando cartazes. É aquele que a gente tava seguindo há muito tempo.

– Põe ele nessa cadeira aqui. Vamos ter uma conversinha! Você vai falar, seu desgraçado! Quero ver... Vai entregar todo mundo. Quem é o seu líder? Quem coordena o seu grupo?

– Quais as próximas ações? Vai falando logo, senão vai ser pior!

– Ele tem cara de quem não fala por bem!

– Então vai abrir a boca por mal. Quero ver...

– Dá logo um telefone nele!

– Aaaaiiiiiiiiii!

– Eu acho que é melhor fazer assim com o cigarro na ferida dele, vai cauterizar rápido

– Aaaaiiiiiiiiii!

– Foi um tiro de raspão, não há de ser nada. Fala, desgraçado!!! Quero ver... Quem é que manda? Quem é que cumpre os mandados? Quem é o seu grupo?

– Esse é duro de roer.

– Mas aqui é fogo, vai acabar falando. Quero ver... Terrorista desgraçado!!!

– Você gosta é de palmatória, não é? Um carinhozinho nas pernas!

– Aaaaiiiiiiiiii!

– Agora nos braços!

– Mais um telefone pra falar com a família! Quero ver...

– Aaaaiiiiiiiiii!

– Tô sabendo que sua mulher tá grávida! Se não falar vamos trazer ela aqui! Ei, cara, pega essa mangueira aí e molha ele todo. Tá calor demais! Assim o choque pega melhor! Tira a roupa dele! Bota ele no pau de arara!

– Agora que está ficando bom! Vamos esquentar um pouco esse churrasco. Quero ver...

– Nãooooo tira minha roupa. Me larga! Nãoooooooo!

– Quietinho que eu vou te amarrar aqui nessa vara. Ajuda aqui, ô, o cara é pesado!

– Pode ligar a pimentinha?

– Pode começar!!!

– Aaaaiiiiiiiiii!

– Mais uma vez!!!

– Aaaaiiiiiiiiii! Aaaaiiiiiiiiii! Aaaaiiiiiiiiii!

– Fala, imbecil!!! Fala, cretino!!!! Vai falar agora, desgraçado? Quer derrubar o governo, não é? É comunista, não é? Mais uma vez. Odeio comunista!!! Querem tomar o poder!!!

– Aaaaiiiiiiiiii!

– Olha a carne dele tremendo! Que gracinha, parece uma bailarina! De novo!

– Aaaaiiiiiiiiii!

– Vou parar um pouco pra você poder soltar a língua. Vai falando. Entrega, cara! Quero ver... Entrega os outros comunistas! Odeio comunistas!!!! Quero ver... Chama o Fidel pra te ajudar! Chama os russos! Quero ver esses comunistas desgraçados todos no inferno. Vamos dar um jeito neles aqui.

– Olha aqui o balde d'água suja! Pode dar um mergulho nele. Afoga! Deixa o cara mergulhado! Afoga mais um pouco!

– Ahhhhhh!

– Enfia a cara dele no fundo. Quero ver... Deixa ele lá um tempão! Vou secar ele com meu cigarro! Que cheiro de churrasco!

– Tá aqui o alicate. Vamos fazer as unhas dele. Parece que não gosta de cortar as unhas. Que sujeira!

– Aaaaiiiiiiiiii! Aaaaiiiiiiiiii! Aaaaiiiiiiiiii!

– Volta ele pro pau de arara! Quero ver... Mais uns choquinhos só e ele fala. Bota bem nele. Ha ha ha! Nunca mais fica duro!!! Quero ver... Isso é pra aprender a não assaltar banco! Isso é pra aprender a não jogar bomba nos militares!

– Aaaaiiiiiiiiii!

– Isso é pra não fazer mais manifestação! Mais um choque!

– Aaaaiiiiiiiiii!

– Agora.

– Aaaaiiiiiiiiii!

– Esse canalha vai falar! Assim é que eu gosto de ver. Agora um choque na orelha, que é pra ficar meio tonto. Quero ver... Bota o cara pra miar!

– Aaaaiiiiiiiiii!

– Agora na língua; choque na língua é batata.

– Aaaaiiiiiiiiii!

– Hoje tô me divertindo muito! Isso me dá uma animação.

– Aaaaiiiiiiiiii!

– Quer falar? Tá pronto pra soltar a língua?

– Nããão oo! Nããão oo!

– Para aí um pouco pro cara não desmaiar. Isso é um frouxo, qualquer coisinha parece que vai apagar. Vamos trazer a mulherzinha dele aqui. Quero ver...

– Nãããooo! Nãããooo! Nãããooo!

– Tem voluntário pra bater mais? Tá às ordens. É só chegar. O cara tá entregue. Quero ver... Se não tem jeito dele falar agora, vamos jogar ele na geladeira e deixar uns três dias lá sem água nem comida. Comigo ninguém fica calado. Quero ver... Tem que acabar falando tudo, o que tão planejando, entrega todo mundo. Quero ver... Vamos botar todos na cadeia. Não vai ficar um de fora pra contar a história. Essa praga desses comunistas só matando. Vamos lá. Arrastem esse verme. Quero ver... ele resistir ao congelador. Não é pinguim. Vai acabar falando. Se não falar, botamos ele no forno alternado com geladeira. Ele não vai aguentar e solta a maldita da língua. Quero ver...

Demorei a perder a esperança de ter Danilo de volta. Rumores de que ele tinha sido morto começaram a circular e chegaram até mim.

Depois do desaparecimento dele, os amigos me apoiaram na busca de informações sobre o corpo. Nada pudemos conseguir. Mesmo com as relações que mantinham com alguns figurões do poder. O oficial amigo do meu pai passou a não atender nossos telefonemas.

Nunca pude enterrar meu marido. Minha luta junto aos órgãos de segurança foi dura e contínua. Uma verdadeira romaria a sucessivos departamentos do aparelho de segurança. Em vão. Perdi a juventude arrastando-me de sala em sala, até que ouvi de um general que era melhor me conformar e não insistir, pois estava muito visada e poderia correr riscos. Pensei no bebê, tão pequenino, tão vulnerável, e decidi que me dedicaria a criá-lo da melhor maneira possível sem expô-lo a riscos.

Mesmo assim, tentei contratar advogados para mover uma ação contra o governo. Quando expus a situação ao primeiro que me indicaram, ele foi reticente e esquivo:

– É melhor a senhora desistir disso, pois seria inútil, além de perigoso, pois a repressão está cada vez mais dura. Muitos colegas nossos estão sendo perseguidos, presos, torturados, porque tentaram uma ação dessa natureza. Alguns desapareceram. Ninguém quer correr riscos. Desculpe-me, mas não posso fazer nada pela senhora. A Igreja Católica está se mobilizando para influir e reduzir o arbítrio. Vamos aguardar. Quando os padres conquistarem algum avanço, todos seremos beneficiados e a verdade virá à tona.

Procurei outros, que também se recusaram a aceitar a causa.

Foram dias e noites de desespero. Eu gritava calada: "Quero Danilo de volta são e salvo!". O grito cairia no vazio, no silêncio. O mundo estava surdo. Ao mesmo tempo imaginava os sofrimentos pelos quais Danilo provavelmente teria passado. Todos tínhamos ideia dos métodos que a repressão usava para extrair informações e castigar os opositores ao regime de exceção. Os comentários dos que sobreviviam às torturas voltavam à minha mente com frequência. Detalhes das agressões sofridas – dolorosos, sórdidos, humilhantes.

Eu pensava na criança que estava para nascer, no que seria de sua vida sem um pai. Como eu arcaria com a responsabilidade sozinha. Tudo que ainda viria: gracinhas, aprendizagens, brincadeiras, passeios, festas, doenças, esportes, aniversários, apresentações na escola, reuniões.... tudo sem Danilo.

Meses se passaram sem que eu tivesse notícias de Danilo. Os amigos e familiares estavam solidários. Todos me telefonavam perguntando se eu precisava de alguma coisa, se queria companhia, se queria dar um passeio. Convidavam-me para reuniões festivas. Mas eu estava arrasada. Não tinha ânimo para conviver. Onde eu estivesse minha tragédia contaminaria o ambiente e as pessoas se retrairiam em cochichos, palavras apenas murmuradas, sussurros, conversas abafadas, comentários em voz baixa, olhares furtivos. Queria ficar sozinha. Fui me conformando aos poucos.

Quando Vitória estava para nascer comecei a mexer nas coisas dele. Parece que tudo estava impregnado do seu cheiro, da sua energia. Em que medida as coisas carregam fragmentos de seus donos? Haveria uma memória registrada naqueles tecidos, naqueles objetos? Fui colocando tudo numa caixa: dobrei as calças jeans, as camisas de marinheiro de que ele tanto gostava, as botas de camurça. Abracei o pulôver azul escuro e desabei num choro convulso. Danilo não possuía muitas coisas, pois era contrário a qualquer supérfluo, a qualquer forma de ostentação e de luxo. Doei tudo para uma instituição de caridade.

Esvaziei o armário para colocar as coisas do bebê. No banheiro recolhi seu pincel de barba, sua escova de dentes, sua alfazema. Não tive coragem de me desfazer desses objetos e coloquei-os todos numa caixa dentro do meu armário. Na cabeceira da cama, os últimos livros que ele estava lendo ainda estavam lá. História, biografias, poesia, ensaios filosóficos. O desespero continuava o mesmo: como me convencer de que estava morto sem ver o corpo?

Seu desaparecimento me deixou atordoada. As providências imediatas ainda sob o choque, a constatação do inevitável, o silêncio, as lágrimas. Não havia o atestado de óbito. Não houve o encadeamento natural de obrigações depois da perda: a contratação dos serviços fúnebres, o comunicado aos amigos e parentes, a burocracia do enterro, o velório arrastado, as flores, as orações, as condolências infindáveis, os agradecimentos, a missa de sétimo dia. Nada disso. Apenas a angústia, o medo, o silêncio, o terror.

Demorei a acreditar que nunca iria reencontrar Danilo. A esperança sempre tem um jeito de se insinuar nos nossos pensamentos e se instalar fincando raízes no mais profundo da alma. Teima em sobreviver às evidências. Eu imaginava que ele poderia estar escondido em algum lugar, que teria fugido, que estaria clandestino, sem dar notícias para não me comprometer. Estava vivo. Sonhava que ele retornaria contando suas peripécias para se salvar.

Somente depois de um período de amargura e sofrimento, quando os colegas tentavam me convencer de que ele tinha sido morto, fui realmente me esforçando para me acomodar à ideia da perda. Sem que eu percebesse, a vida foi voltando à rotina.

Vitória nasceu saudável e alegre. Era uma criança bonita e absorveu os meus dias, a minha energia, ocupando-me o tempo todo. Tinha os olhos e os cabelos claros como os do pai. Era uma parte de Danilo que voltava à vida.

Mesmo sob aquela sombra terrível, era preciso continuar. Mas tudo o que poderia ter sido se dissolveu: não cantaríamos parabéns juntos para nossa filha todos os anos, não a veríamos crescer, não frequentaríamos as reuniões escolares, não a ensinaríamos a nadar, não a ajudaríamos nos deveres escolares, não leríamos histórias na hora de dormir, não comemoraríamos juntos nas noites de Natal e de ano-novo, não teríamos a alegria de presenteá-la, não iríamos juntos à praia para que ela visse o mar, não a ensinaríamos a andar de bicicleta, não a levaríamos às festinhas de aniversário dos amiguinhos... Eu teria que fazer isso tudo sozinha.

E onde ficariam nossos sonhos de criar uma fundação na periferia da cidade para educação de jovens em situação de risco? De tomar alguma iniciativa pela educação ambiental? De passar umas férias em Fernando de Noronha? De conhecer o Brasil profundo viajando pelo norte e pelo nordeste? De ir conhecer Cuba? De construir uma casa? De plantar um jardim? De visitar Paris? De conhecer a casa de Monet em Giverny? De ir a Florença para ver o David, de Michelangelo?

A expectativa de futuro, apagada por aquela súbita ausência, me assustava. Uma névoa cobria minha imaginação sobre os dias que viriam. Como organizar a vida para viver sozinha? Como tomar conta das obrigações, dos pagamentos e despesas da casa? Como decidir tantas coisas sem o apoio de Danilo? Como enfrentar a liberdade, a falta de obrigações e preocupações para com o outro? Inicialmente a imagem de Danilo envolvia totalmente meu pensamento. Quanto teria sofrido? Como teria resistido aos interrogatórios? Como enfrentara a dor física?

Era como se ele continuasse presente, fosse entrar a qualquer momento, estivesse ali no quarto ao lado, fosse chegar para as refeições. Pouco a pouco essa imagem foi se tornando mais longínqua, se esgarçando e se distanciando. Em seu lugar ficava uma angústia persistente, uma dor ininterrupta, um desencanto, uma desesperança. Algumas vezes ele aparecia em pesadelos, sempre amargurados, turbulentos e atormentados. Acordava em prantos. Depois, cada vez mais raramente.

Agora eu poderia usar o meu tempo da maneira que decidisse, sem precisar combinar, conversar, negociar, e isso era assustador. Principalmente desapareceram o medo e a incerteza que me invadiam todas as vezes que Danilo participava de alguma ação política. O fato consumado extinguira as premonições, os pressentimentos ruins, os sobressaltos, as dúvidas, o pavor, a desconfiança de que a qualquer momento uma tragédia aconteceria, como estava acontecendo com vários amigos e companheiros de militância. Primeiro caiu André, depois Carmen Lúcia, depois Roberto... um a um eles iam desaparecendo.

Eu poderia ir ao cinema quando quisesse, assistir ao filme que escolhesse. Danilo sempre preferira os filmes políticos e históricos, resistia a ver dramas ou comédias românticas. Poderia ficar na cama aos sábados e domingos até mais tarde, sem preocupação em compartilhar o café da manhã. Ele gostava de se levantar cedo. Poderia ficar em casa lendo, sem obrigações sociais. Não precisaria me preocupar em manter as roupas dele em ordem, como ele gostava: uma camisa em cada cabide, as calças na mesma posição, as gavetas impecáveis... Mas essa liberdade provocava intenso estranhamento. Eu flutuava. A cada movimento me sentia insegura. Cada decisão era um grande deserto a vencer, um grande obstáculo quase intransponível.

Os trabalhos com o bebê ajudaram inicialmente, pois era uma nova vida e precisava de cuidados. Mas as notícias de prisões e mortes continuavam a chegar. O regime cada vez mais cruel e violento não cessava de eliminar seus inimigos. Estudantes, militantes, jornalistas desapareciam sem deixar rastros.

Felizmente acompanho pela televisão uma boa notícia. Portugal reage à ditadura e empreende a Revolução dos Cravos. Em 1968 Salazar sofrera um derrame cerebral e fora substituído por seu ex-ministro Marcelo Caetano, que prosseguiu com a política de natureza fascista. A decadência econômica e o desgaste com as guerras coloniais provocaram descontentamento na população e nas Forças Armadas. Isso favoreceu a aparição de um movimento contra a ditadura. A senha para o início do movimento foi dada à meia-noite do dia 25 de abril, através de uma emissora de rádio: era uma música proibida pela censura, *Grândola Vila Morena*, de Zeca Afonso.

Grândola, vila morena

Terra da fraternidade

O povo é quem mais ordena

Dentro de ti, ó cidade

Em cada esquina, um amigo

Em cada rosto, igualdade

Grândola, vila morena

Terra da fraternidade

Terra da fraternidade

Grândola, vila morena

Em cada rosto, igualdade

O povo é quem mais ordena

Os militares fizeram com que Marcelo Caetano deixasse o poder. A população saiu às ruas para comemorar o fim da ditadura e distribuiu cravos, a flor nacional, aos soldados rebeldes, em forma de agradecimento.

Como Danilo ficaria feliz em saber de tudo isso, em acompanhar de longe essa vitória. A falta dele acentuava-se nessas ocasiões em que conquistas políticas se tornavam evidentes. Eu dialogava com ele na imaginação. Ouvia sua voz cheia de alegria.

Uma tarde, o telefone tocou. Era do Comitê Feminino pela Anistia, que recentemente tinha sido criado em São Paulo. Pediam que eu assinasse uma lista de apoio ao comitê, mandariam um emissário. Concordei, mas as lembranças voltaram de forma avassaladora. Passei um dia inteiro desolada, sem saber o que fazer com aquele desassossego. O medo de uma represália voltava a me aterrorizar. Mesmo assim assinei o documento, pois acreditava que uma ação era necessária naquele momento.

Chega a notícia de que Frei Tito se suicidara na França. Danilo teria ficado tristíssimo com isso. Senti como se fosse ele. Quando Vladimir Herzog foi assassinado nas dependências do DOI-Codi, Vitória já estava com dois anos. Passei a tarde chorando, pois todo o meu sofrimento voltava integralmente. Não puderam esconder o fato, porque Vladimir tinha sido convocado numa tarde, mas, como estava fechando o jornal, prometeu que iria depor no dia seguinte pela manhã. Todos na redação ficaram sabendo que ele iria voluntariamente. A hipótese do suicídio, que tinha sido divulgada pelo governo, era absolutamente improvável.

Pensei em Danilo. Como teria sido morto? Por que não deram notícia do corpo? Era como um filme reprisado incessantemente. Meus soluços assustaram a criança, que me olhava espantada. Enxuguei as lágrimas e abracei com força aquela pequena criatura que dava sentido aos meus dias. Era uma dádiva de Danilo que ficara para mim.

Uma semana depois, quando foi feito um culto ecumênico na Catedral da Sé, em São Paulo, mais de oito mil pessoas compareceram. Apesar das centenas de barreiras policiais que tentavam conter o afluxo de pessoas à igreja, foi uma primeira manifestação de que o regime ditatorial estava enfraquecendo. Ninguém poderia desconhecer que um inocente tinha sido morto pela repressão. Era evidente a falsidade das declarações de que fora suicídio. A foto forjada, que percorria os jornais, era ridícula demais para ser levada a sério. O Sindicato de Jornalistas divulgou uma nota de repúdio, afirmando que a responsabilidade era do poder público, pois Vladimir estava sob sua guarda. Não era mais possível sustentar tantas mentiras diante das evidências, e o regime ditatorial começava a ruir vagarosamente.

O ano ia se arrastando enquanto as mortes suspeitas e inexplicáveis se sucediam: Manuel Fiel Filho, Zuzu Angel, Juscelino Kubitschek, padre Burnier, João Goulart... Eram notícias que me abalavam profundamente e que me faziam reviver todo o meu desalento. As pessoas falavam sussurrando sobre esses acontecimentos. Ainda havia censura sobre qualquer manifestação pública de apoio aos militantes. Mas, ao mesmo tempo, iam surgindo movimentos mais organizados de reação. Terezinha Zerbini criou o Movimento Feminino pela Anistia como uma primeira iniciativa organizada e ostensiva contra os militares.

Ao longe acompanho os movimentos que, pouco a pouco, vão surgindo em reação ao regime e que são violentamente rechaçados: estudantes fazem passeata no Largo de São Francisco e ocorre um encontro nacional de estudantes na PUC de São Paulo. Surge um manifesto na Associação Brasileira de Imprensa (ABI) contra a censura; funda-se o Comitê Brasileiro pela Anistia, no Rio de Janeiro, e ocorre a primeira greve de metalúrgicos no ABC. Chegam notícias do 1º Encontro Nacional de Movimentos pela Anistia, em Salvador, e do 1º Congresso Nacional pela Anistia, em São Paulo.

Diante da pressão popular, o governo militar decide revogar o AI -5. Imaginava como Danilo se sentiria feliz com esses primeiros sinais de abertura política. Como seus olhos brilhariam, como seu sorriso se iluminaria.

Todos os jornais estampam que no jogo entre Santos e Corinthians, no Morumbi, em São Paulo, a torcida Gaviões da Fiel estendeu uma faixa com os dizeres: *Anistia ampla, geral e irrestrita*! Era a Democracia Corinthiana que se manifestava inflamando a consciência dos torcedores.

Uma série de greves no ABC paulista faz germinar um novo sindicalismo, mais forte, mais atuante, mais eficiente. Parece que novos ventos de liberdade começam a soprar no horizonte. Entretanto, para mim, nenhum desses esforços me trazia a esperança de recuperar Danilo. Por isso, desiludida, não me interessava tanto por participar desses movimentos e os observava de longe. A fatalidade do desaparecimento de Danilo tinha me afetado profundamente e eu estava anestesiada em relação às esperanças de abertura política.

A descrença, o desalento, a desesperança tomavam conta dos meus pensamentos. Apenas Vitória me mobilizava de alguma forma. Acompanhava seu crescimento e me dedicava à sua educação com carinho redobrado. Queria protegê-la, queria que não sofresse, queria que pudesse viver num mundo melhor, mais justo, mais livre. A falta do pai a afetava de alguma maneira. Coloquei fotos de Danilo pela casa toda. À medida que Vitória foi crescendo deparei-me com a necessidade de falar sobre ele. Explicava que tinha morrido numa guerra, que lutava pela liberdade, que era um herói.

Mas agora, adulta, tinha sua carreira e, aos poucos, foi se envolvendo com suas obrigações. Quando ela se mudou para São Paulo e me vi completamente sozinha, assustei-me novamente com o horizonte indefinido. Aos poucos organizei a rotina e acostumei-me com as novas circunstâncias. Entretinha-me em pagar as contas, controlar o dinheiro, resolver os problemas que surgiam na manutenção do apartamento, negociar o carro e trocá-lo, viajar sozinha, enfrentar as tarefas do trabalho.

Depois de tantos anos, os amigos de Danilo, que tinham se afastado um pouco, me procuram para comemorar a Lei da Anistia. Tínhamos na época milhares de exilados, centenas de presos políticos e mais de trezentos desaparecidos.

Alguns exilados começam a retornar e são recebidos com festa. Pouco a pouco voltavam à política. Mas essa alegria não me alcança mais. Tudo me lembra Danilo. Tudo me faz recordar. Sei o quanto ele gostaria de estar vivendo esses acontecimentos: a volta de Paulo Freire, de Betinho, de Brizola, de Miguel Arraes, de Luiz Carlos Prestes. Sei o quanto lutou pelo fim dessa ditadura sangrenta.

Acompanho pela televisão as manifestações de apoio aos políticos que voltam do exílio e choro por um militante que não vai voltar. Tudo me emociona e me deixa desconsolada. Nada pode me trazer de volta Danilo. Toda essa reviravolta na história do país apenas reafirma minha saudade. É como se ele estivesse comigo, assistindo a tudo o que acontece. A marcha inexorável para a democratização.

Entretanto, grupos de extrema-direita, inconformados com os estertores do regime de força e com a abertura que se anuncia timidamente, ainda agem na surdina, explodindo bombas, sequestrando, espancando, perseguindo.

Uma bomba explode no colo de agentes da repressão no estacionamento do Riocentro durante um show de música pelo Dia do Trabalho, promovido pelo Centro Brasil Democrático (Cebrade). Havia mais de vinte mil pessoas na plateia. E a ideia era atribuir o atentado à Vanguarda Popular Revolucionária, um grupo de esquerda que há muitos anos já havia sido dizimado pelo exército. Deu tudo errado. Um sargento morreu e um capitão ficou seriamente ferido. A imprensa chegou logo e o Exército teve que dar uma explicação: inventou que os dois tinham sido vítimas de militantes de oposição. Mas as evidências provavam o contrário.

Atualmente, apenas alguns dos meus amigos costumam convidar-me esporadicamente para um jantar ou uma saída. Minha casa, antes movimentada, é agora um pouco vazia e triste. Mesmo assim, compro flores, cuido da decoração, mantenho tudo em seu lugar, muito bem organizado, como se a qualquer momento fosse receber alguém. Capricho no cuidado do escritório, onde mantenho minha biblioteca e onde passo horas lendo.

Fui assistir ao filme *Pra frente, Brasil*, de Roberto Farias, e a década em que Danilo desapareceu voltou toda à minha mente. Era o milagre econômico e o Brasil vibrava com a Copa do Mundo do México, em que a nossa seleção foi tricampeã. Jofre, o personagem principal, embora inocente, é tido como subversivo, preso e submetido à tortura. Consegue fugir, mas é novamente preso e acaba morrendo no cárcere ao som da música *Pra frente, Brasil*, hino da ditadura. Era a primeira vez que esse tema chegava às telas.

Por meio do filme confirmei uma informação a que meu sogro aludira. Um grupo de empresários patrocinava a repressão. Todo o meu ódio adormecido veio à tona. Uma revolta profunda renasceu em minha alma massacrada pela dúvida e pela impotência. Compreendi que havia muitos fatos que para mim eram desconhecidos a respeito daquele período. Hesitei entre a curiosidade de saber mais e a vontade de apagar tudo isso da memória e viver uma nova vida. Periodicamente alguém me telefonava dando notícias das ações pela anistia e me informava que o nome de Danilo constava nas listas de desaparecidos.

Pouco a pouco vão surgindo manifestações pelas eleições diretas. Meus amigos paulistas comentam por telefone:

– Você não vai acreditar! Ontem houve uma manifestação pela eleições diretas com mais de dez mil pessoas aqui em São Paulo. Uma maravilha! Todo mundo de amarelo. Fomos para a rua. Foi uma alegria! Agora não tem volta, vamos conseguir mudar tudo! Vamos voltar à democracia. Espere para ver.

Em seguida um comício em Curitiba reúne sessenta mil pessoas e lança a campanha Diretas Já. Fiquei imaginando a alegria que Danilo sentiria com essa movimentação. Era tudo que ele queria, era seu sonho, que o país se mobilizasse para derrubar a ditadura. E os comícios vão se multiplicando numa reação em cadeia que se torna irreversível; como num rastilho de pólvora as cidades vão se manifestando; um milhão no Rio de Janeiro; um milhão em São Paulo.

Entusiasmei-me e fui com Vitória para as ruas vestidas de camisetas amarelas. Era uma alegria! A multidão se abraçava cantando o Hino Nacional, os políticos discursavam de forma inflamada. Bandeiras brasileiras eram erguidas. Cantava-se espontaneamente *Menestrel das Alagoas* e *Coração de estudante*, de Milton Nascimento:

Qucro falar de uma coisa

Adivinha onde ela anda

Deve estar dentro do peito

Ou caminha pelo ar

Pode estar aqui do lado
Bem mais perto que pensamos
A folha da juventude
É o nome certo desse amor

Já podaram seus momentos
Desviaram seu destino
Seu sorriso de menino
Quantas vezes se escondeu
Mas renova-se a esperança
Nova aurora a cada dia
E há que se cuidar do broto
Pra que a vida nos dê
Flor, flor e fruto

Coração de estudante
Há que se cuidar da vida
Há que se cuidar do mundo
Tomar conta da amizade
Alegria e muitos sonhos
Espalhados no caminho
Verdes planta e sentimento
Folhas, coração
Juventude e fé

Vitória sabia a letra de cor e cantava com graça, acompanhando a multidão. Pela primeira vez em muitos anos eu voltava a me empolgar com a política. Era um sentimento contagiante do qual ninguém podia escapar. Nos bares, nos restaurantes, nos clubes, nas escolas, nas universidades, nos automóveis, o amarelo predominava.

Íamos às ruas com esperança de estar mudando os rumos da história, de que pudéssemos realmente colocar o país nos trilhos da democracia e da legitimidade. Ninguém duvidava de que isso seria possível. Era evidente que o povo queria participar de eleições. Nunca se viu uma unanimidade assim. Todos se uniam por uma mesma causa.

A lembrança de Danilo me acompanhava quando eu me envolvia no sentimento geral de que as transformações eram inevitáveis e de que o governo militar estava por um fio.

Como sempre acontecia, os sonhos desabavam na decepção, na frustração. A emenda constitucional que restabeleceria as eleições diretas não foi aprovada pelo Congresso Nacional.

Revivi toda a tristeza que Danilo sentia quando os acontecimentos não eram favoráveis aos seus desejos. Decepcionada, mergulhei numa espécie de luto. Mas a população continuou reagindo com manifestações e passeatas, principalmente os estudantes universitários. Assim, estabeleceu-se um Colégio Eleitoral que elegeu de forma indireta o presidente civil que faria a transição para a democracia.

Eram novos tempos. Danilo teria vivido essas mudanças com empolgação e alegria. Revejo seu sorriso, ouço sua voz cantando, imagino como estaria feliz se pudesse participar dessas reviravoltas na história do país.

Sua ausência torna-se então mais contundente. Sinto falta de sua companhia, de seu apoio, de sua participação, de suas opiniões, de seu companheirismo, de sua cumplicidade. Teríamos ido para a rua juntos, teríamos cantado alegremente durante as manifestações populares. Sentiríamos a mesma esperança e teríamos tido a mesma certeza de que o país estava em transformação. Como ele teria usufruído da liberdade de expressar suas ideias e convicções! Como estaria feliz com o retorno da democracia! Provavelmente entraria para a política, pois era um líder. Estaria defendendo as ideias de um partido, se candidataria a algum cargo eletivo, faria campanha, seria ativo politicamente, como alguns de seus companheiros que sobreviveram à repressão. Toda uma vida que não foi vivida. Todo um futuro que não aconteceu.

Mas esses pensamentos só me tornavam mais melancólica. A saudade faz faltar o ar, traz uma febre incontrolável, dói como uma ferida aberta que nunca tem cura. Os tempos mudavam e uma história pessoal que envolvia torturas e repressão passa a ser valorizada. Resisti a carregar a imagem de viúva de desaparecido. Nunca tinha considerado isso uma glória e não queria usufruir da admiração dos outros por ter passado por esse sofrimento. Via pessoas que tinham participado da resistência à ditadura usarem isso como um distintivo, uma medalha, se vangloriando diante de quem não tinha uma história de coragem para contar. Ficava um pouco assustada com essas atitudes.

O telefone tocou e era Paula do outro lado da linha. Saí do devaneio subitamente. Paula é minha amiga mais próxima. Tínhamos sido vizinhas e a amizade perdurou mesmo quando se mudou para uma casa, porque queria ter um jardim. Ela era solteira e trabalhava numa agência de turismo, organizando excursões pelo mundo. Participava de algumas e costumava contar suas aventuras e peripécias, o que sempre me distraía.

– Oi, Ângela! Quais são as novas? O que você vai fazer hoje?

– Estou de molho. Mergulhei num livro e não quero nem trocar de roupa. Ainda estou de pijama. Talvez a gente possa dar uma caminhada de tarde. Passe por aqui e vamos ao parque.

– Então está combinado. Eu tenho uma porção de coisas para fazer e por volta das cinco passo aí.

– Tá combinado. Tchau.

Voltei ao livro e em pouco tempo estava envolvida na magia do texto. Desligara-me completamente de tudo e, imersa na fabulação de Borges, não via o tempo passar. A cada passo uma revelação, a cada página um deslumbramento com a originalidade e a precisão da narrativa. Ruas, esquinas, pátios, bares e casarões de Buenos Aires formam o cenário de um caminhante nostálgico. Jogos mentais agudos, geométricos se sucedem na criação do universo peculiar que o autor explora com estilo rigoroso.

Durante a caminhada ao lado de Paula, ainda levava o impacto da leitura. Pedaços de histórias voltavam à minha mente e deixavam um rastro de sensações estranhas, como se tivesse acabado de chegar de uma viagem por países exóticos e as imagens perdurassem em minha retina. Paula percebeu o meu estado de ânimo:

– Eh! O que você tem? Está alheia, ausente, distante. Eu estou aqui falando, falando, mas sinto que você não me ouve.

– Estou mesmo meio distraída. É o impacto do livro que estou lendo. É de um autor de que eu só havia lido um livro – Borges. Mas estou ouvindo você. Fique tranquila.

Paula continuou a tagarelar sobre sua última viagem, suas estripulias amorosas. Eu acompanhava a distância, enquanto interiormente revivia as emoções do livro.

Em casa, tomei uma ducha e caí na cama para relaxar. A imagem de Francisco voltou à minha mente de forma viva e intensa. Desde que Danilo desaparecera, eu não tinha tido nenhum relacionamento amoroso. Parece que meu coração se fechara para o afeto. O luto me deixara marcas indeléveis. Eu não saberia como começar uma aproximação com um homem. Nunca desenvolvera as estratégias comuns da sedução e dos jogos próprios da atração sensual. Era um capítulo terminado na minha vida. Não me sentira atraída por ninguém nem percebia quando provocava o interesse de outra pessoa. O vazio deixado por Danilo ainda era preenchido pela dúvida sobre a sua trajetória até o desaparecimento.

Tais indagações não me abandonaram um dia sequer. Se me distraía um pouco, tudo voltava à minha memória como se tivesse acontecido ontem. A melancolia, a saudade e a tristeza me invadiam subitamente e eu mergulhava numa desesperança em relação à vida que me levava aos limites da depressão. Por isso tentava afastar essas lembranças com o trabalho. Não tinha sido uma decisão racional, voluntária, afastar-me da vida afetiva e amorosa, negar uma parte tão importante da vida. Simplesmente o desejo do amor tinha sido arrancado de mim. Eu sofrera uma espécie de lobotomia afetiva. O espaço do sentimento havia sido calçado de pedras.

Tanto que quando começou a surgir o movimento que reivindicava a anistia, a redemocratização, eu não me senti motivada a militar nem a colaborar. A censura estava se afrouxando e surgiam revisões em livros e no cinema.

Com um sentimento meio masoquista, ia assistir aos filmes que tentavam rever o período da repressão. Assim fui ver *Que bom te ver viva*, de Lúcia Murat. Saí abatida. Todo o sofrimento voltava de forma avassaladora. Aqueles depoimentos de mulheres que tinham sido torturadas me tocavam profundamente. A saudade de Danilo voltava com toda a força. E tristeza, consternação, amargura me tomavam por vários dias.

Agora surgia um sentimento novo. Uma curiosidade pela vida de Francisco, um interesse diferente e surpreendente para mim. Deixei-me levar pela imaginação: ele deve morar com a família, está agora à mesa do jantar conversando, vai sair com a namorada mais tarde. Nesse ponto sofri uma pontada no peito, como se uma falha na circulação afetasse meu coração. As emoções provocam reações físicas. Tentei afastar esse pensamento e voltei a falar imaginariamente com ele sobre impressões do livro de Borges. Esse diálogo mental prolongou-se. Era como se conhecesse as opiniões dele, conhecesse seus pontos de vista, suas emoções vividas na leitura do livro.

Na segunda-feira passei o dia ansiosa, esperando que o tempo corresse e que chegasse a hora de ir à livraria. Pensei em não ir, em adiar esse encontro, em fugir dos meus sentimentos e da atração que Francisco começava a exercer sobre mim. Mas, ao mesmo tempo, desejava esse encontro, tinha necessidade de falar sobre o livro, de agradecer a indicação, de elogiar o bom gosto de Francisco.

Depois do trabalho, ainda lutava entre esses dois impulsos. Não devo me entregar a esse desejo, nem sei o que ele pensa a meu respeito. Seria muita insistência forçar uma amizade quando não há mais que uma relação entre compradora e vendedor. É uma relação comercial, ele quer vender os livros e eu quero lê-los. Resolvi resistir e fui jantar. No restaurante encontrei uns vizinhos e me distraí conversando banalidades sobre o bairro. Mas, às vezes, a imagem de Francisco sobrepairava na memória e interrompia a conversa. Eu me afastava momentaneamente dos diálogos e me recolhia para reviver o encontro de olhares com Francisco, mas, logo em seguida, voltava à tona e entrava novamente no assunto.

Ao voltar para casa, ainda tive o impulso de passar pela livraria, que deveria estar aberta. Mas desisti. Em casa tentei distrair-me arrumando roupas no armário. Assisti ao jornal pela TV, era inacreditável que o país estivesse agora vivendo um período de tanta democracia e liberdade. Quem viveu os anos de chumbo tem dificuldade de acreditar que tudo tenha se transformado assim e que o Estado de Direito esteja em plena vigência. Embora haja tanta corrupção e a desigualdade ainda seja evidente, houve um avanço enorme.

Procurei nas minhas estantes outro livro de Borges para reler. Encontrei *Antologia pessoal*. Mergulhei naquelas histórias admiráveis. Por meio de labirintos, sonhos, imagens fantásticas, espelhos, facas, entrelaçados com as tradições argentinas e latino-americanas, ele universaliza questões locais, colocando indagações metafísicas numa forma estética irretocável. Atravessei horas deslumbrada com seu estilo.

Lembro-me de que estávamos todos envolvidos na esperança que uma nova Constituição traz. Tudo parecia renascer. A redemocratização era um fato. Tudo com que Danilo tinha sonhado e pelo que tinha lutado estava acontecendo. Seus amigos sobreviventes se lançavam na política com empenho renovado. As sombras do período da ditadura começavam a se esvanecer na história, mas não para nós, que tínhamos perdido alguém.

Quando a televisão noticiou que haviam encontrado uma vala comum clandestina no cemitério de Perus, em São Paulo, os familiares de desaparecidos se mobilizaram para estimular a pesquisa sobre aqueles restos mortais. Para nós, há tanto tempo em busca de respostas e de justiça, havia muito a vasculhar: cemitérios oficiais e clandestinos, arquivos escondidos pelo governo, laudos, processos, documentos e testemunhas.

Houve as primeiras revelações públicas terríveis de como setores oficiais foram usados para torturas, assassinatos e ocultamento de corpos, mostrando a sanha dos DOI-Codis, os crimes dentro do Instituto de Medicina Legal, a manipulação dos cemitérios de São Paulo, o uso de sítios clandestinos. Foi possível identificar, junto à Unicamp, os primeiros corpos de presos políticos enterrados em São Paulo. Mas não havia notícias dos restos mortais de Danilo. Novos processos contra médicos legistas se iniciavam por parte dos familiares. Surgiu a informação de que muitos mortos tinham sido atirados ao mar.

Eu me equilibrava entre a alegria de ver Vitória ingressar no curso superior de História e a tristeza de conviver com essas memórias inquietantes.

Vitória já estava com dezenove anos quando fomos juntas assistir ao seu primeiro filme sobre o período em que seu pai tinha sido assassinado: *Lamarca*, de Sérgio Resende. Ela vivia curiosa sobre os acontecimentos que envolviam a morte do pai. Saí do cinema transtornada por reviver aquele período de medo, de terror. Vitória percebeu e não fez perguntas. Caminhamos pelas ruas até nossa casa, comungando a mesma tristeza. Éramos muito unidas e, como ela estava num processo de amadurecimento e consciência dos fatos históricos, respeitava meu sofrimento. Não queria especular minhas memórias para não me fazer reviver todos os tormentos por que passara.

Alguns familiares de desaparecidos criaram a Comissão de Familiares de Mortos e Desaparecidos Políticos e estavam se mobilizando em busca de informações sobre os fatos relativos a esses militantes. Por meio de um longo trabalho junto à justiça, empreendido pelos Comitês de Anistia e por advogados progressistas para os familiares de desaparecidos, conseguiu-se uma Lei dos Desaparecidos, que reconhecia a responsabilidade do Estado pelo sequestro, cárcere privado, tortura e assassinato de vários militantes. Foi criada uma Comissão Especial sobre Mortos e Desaparecidos (CEMDP) na Secretaria de Direitos Humanos da Presidência da República. Mas, pela Lei da Anistia, o Estado não poderia examinar criteriosamente as circunstâncias das mortes nem punir os responsáveis.

Mesmo assim, a comissão começou a coletar o sangue de familiares de pessoas mortas durante o regime, criando um banco de dados para identificar as vítimas. Vitória disponibilizou-se a participar da pesquisa. Foi um período de sobressaltos, porque todas as vezes que o telefone tocava eu tinha esperança de ter alguma confirmação de que tinham encontrado os restos mortais de Danilo. Mas o tempo passou e nada dele foi encontrado. Vitória, aos vinte e dois anos, conseguiu o atestado de óbito do pai, que não explicitava a causa da morte, e recebeu uma indenização do governo. Do corpo nunca se soube.

Fomos assistir juntas ao filme *O que é isso, companheiro?*, baseado no livro de Gabeira e dirigido por Bruno Barreto. Os procedimentos da censura já estavam há muito tempo mitigados e se começava a rever a história recente do Brasil. Vitória ficou impressionada com a convicção e a coragem daqueles jovens que sequestraram o embaixador dos Estados Unidos no Brasil, Charles Burke Elbrick, em troca de prisioneiros políticos. Expliquei que quase tudo no filme era verídico; mesmo com as identidades trocadas, o filme era uma reconstituição mais ou menos fiel aos acontecimentos.

Na época os jornais tinham estampado a foto dos militantes libertados na frente do avião que os levara para o México. Identifiquei para ela as pessoas trocadas pelo embaixador. Foram libertados Luís Travassos, José Dirceu, José Ibrahin, Onofre Pinto, Ricardo Vilas Boas, Maria Augusta Carneiro Ribeiro, Ricardo Zarattini, Rolando Frati, João Leonardo Rocha, Agonalto Pacheco, Vladimir Palmeira, Ivens Marchetti, Flávio Tavares, Gregório Bezerra e Mário Zanconato.

Franklim Martins também era participante do movimento e foi quem descobriu o trajeto que o embaixador fazia de sua casa para o trabalho, idealizando o sequestro a fim de libertar das mãos dos militares o líder estudantil Vladimir Palmeira, que articulava as manifestações contra a ditadura. Uma carta foi lida em rede nacional, obrigando o governo a libertar os prisioneiros em troca do embaixador, conforme acertado. O sequestro, que durou quatro dias, foi comandado por Virgílio Gomes da Silva e seu companheiro Toledo. Lembrei-me que esses dois comandantes da operação tinham sido mortos pouco tempo depois da ação.

Vitória, chocada com o clima que o filme passa, quer mais informações sobre tudo o que aconteceu. Saímos do cinema excitadas, falando muito. E eu, mais à vontade, pois não tínhamos participado daquele sequestro, falei das convicções de Danilo, da sua esperança na construção de um país mais justo e igualitário. Lembrei a felicidade dele quando soube do sucesso da ação. Ele exultava, eufórico. Vimos pela televisão a leitura do manifesto dos militantes que tinham feito o sequestro e nos alegramos, cheios de esperança, mas iludidos de que se aproximava o fim da ditadura.

Quando chegamos em casa, eu e Vitória fomos olhar o álbum de fotografias que eu guardava da juventude. Conversamos até altas horas, tomando chá e revisitando as fotos. A saudade voltava com toda a força, mas agora era uma saudade atenuada pelos anos. Era como se eu tivesse vivido muitas vidas, mas as memórias daquela, passada, ainda me afetassem. Eu já era outra pessoa, mais madura, mais cética, menos ingênua. Agora sabia que a vida era feita de sonhos e de desilusões em partes equilibradas. Que estávamos aqui para enfrentar as adversidades com coragem e ânimo, sem desesperar. Alguns sonhos precisavam ser buscados com persistência e paciência pela vida afora. Outros estavam fadados a se dissolver pelo caminho. Tudo fazia parte da história, e não podíamos mudar os seus rumos sozinhos, mas isso tinha de ser decorrência de um movimento coletivo, compartilhado por todos.

Depois de reler a *Antologia pessoal* de Borges, adormeci. Foi um sono intranquilo, cheio de sonhos inexplicáveis, em que andava por uma rua escura, na chuva, de noite, sem encontrar um endereço. Batia em várias casas, mas era sempre engano. As pessoas, mal-humoradas, fechavam a porta diante de mim, que insistia, tentando explicar o que procurava, inutilmente. Não conseguia saber o que procurava. Depois, precisava escrever meu endereço para alguém, mas a caneta falhava, o lápis quebrava a ponta, o papel era pequeno, se rasgava, e nunca conseguia completar a informação, numa busca aflitiva e ansiosa que não tinha fim. Acordei cansada e atormentada por tantos restos de sonhos angustiantes. Durante o dia, fiapos desses sonhos voltavam à mente, mas não conseguia reconstituí-los para tentar entendê-los.

Sempre tivera o hábito de recordar os sonhos e tentar interpretá-los, relacionando-os com os acontecimentos do dia a dia. Algumas vezes gostava de escrevê-los num velho caderno para analisá-los com mais calma, embora quase nunca encontrasse um pouco de sentido. Eram associações aleatórias de pedaços de recordações, pessoas há muito esquecidas que voltavam à lembrança, acontecimentos desordenados, encaixados de forma a criar uma narrativa inconsequente, que flutuava sobre a realidade como um segundo universo, paralelo. Sonhava em cores e os detalhes eram vivos, pareciam reais e quase sempre podiam ser recompostos. Quando Danilo era vivo, gostava de contá-los para ele durante o café da manhã. Ele ouvia atento, mas resmungava que eu estava ficando maluca, que tudo era um desperdício de energia. Ele não dava importância nenhuma ao que sonhava, achava que era o lixo da memória.

Durante o dia percorri várias floras em busca de espécies interessantes para o jardim em que estava trabalhando. Helicônias, chefleras, dracenas chamavam a atenção, porque gosto de folhagens. Meus jardins têm muitas flores, muita grama e a exuberância das plantas tropicais. Negociava o preço, escolhia as mudas, marcava a entrega, recomendava cuidados especiais. Já tinha sido premiada várias vezes em concursos de paisagismo, mas continuava pesquisando e renovando as estratégias de criação.

Ao fim do dia de trabalho, vi-me diante da livraria. Foi como se meu corpo dirigisse minha mente e fosse onde ele quisesse, automaticamente, sem comando do cérebro. Entrei e fiquei folheando os livros da primeira estante. A livraria estava movimentada, e no fundo, no caixa, havia uma pessoa desconhecida, uma moça. Era muito jovem, morena, de cabelos cacheados, usava óculos e tinha um ar tranquilo, simpático. Imediatamente senti um desconforto. Parecia um certo ciúme. Muitas dúvidas invadiram desordenadamente minha imaginação. Seria uma namorada de Francisco? Que relações teria com essa moça? Teria contratado uma funcionária? Onde estaria? Um turbilhão me açoitou a alma. Escolhi um livro, aproximei-me dela e perguntei:

– Olá, como vai? É nova aqui? Onde está Francisco?

– Sou irmã dele. Ele precisou fazer uma pequena viagem. Deve voltar semana que vem. Estou aqui tomando conta da livraria, por enquanto.

Agradeci e paguei o livro que tinha escolhido: *O túnel*, de Ernesto Sábato. Queria ler outro argentino. Saí da livraria desapontada. A decepção de não encontrá-lo deu a medida de como estava me envolvendo. Primeiro veio uma vontade súbita de chorar. Parecia que uma mágoa acumulada por anos e anos estava por extravasar. Segurei as lágrimas. Depois uma tristeza enorme me invadiu. O que estaria acontecendo comigo? Sempre fui tão controlada. Meus sentimentos, desde que perdera Danilo, nunca mais ficaram desordenados. Parece que o sofrimento tinha cauterizado minha sensibilidade e eu passava pela vida sem sobressaltos. E agora isso. Essa turbulência, esse tumulto, esse vulcão adormecido entrando em erupção subitamente.

Eu já me esquecera de como nossos radares percebem a presença do outro, como nos deixamos atrair pela outra pessoa, como nos deixamos envolver pelos sentimentos e emoções provocados pela atração física, intelectual e espiritual. Eu já não me lembrava de nada disso. Estava amortecida, anestesiada, até que fui sacudida por essas sensações renovadas. Para mim, na minha idade, essas emoções estavam fora de cogitação. Principalmente em relação a alguém mais jovem. Toda a censura sedimentada durante anos veio à tona. Estava um pouco envergonhada do que estava sentindo. Julgava-me sem direito a esses sentimentos, mas não podia controlá-los. Vinham e voltavam à minha mente e ao meu coração aos borbotões, atropelando meu raciocínio, minha lucidez, minha racionalidade. Eu sentia falta dele, sua ausência me deixava perturbada. Estar longe do seu alcance me deixava insegura. Sentia uma necessidade urgente de vê-lo, de estar perto, de sentir a placidez, a paz e a calma que a sua presença me proporcionava. Ao mesmo tempo fui invadida por um ciúme doloroso. Meu peito ardia. Com quem estaria? O que estaria fazendo? Teria alguém em sua vida? O que estaria falando e com quem? Estaria se divertindo? Talvez estivesse rindo. Provavelmente estaria feliz, enquanto eu estava aqui me torturando inutilmente.

Voltei caminhando para casa completamente transtornada. Joguei-me na cama e solucei, deixando rolar lágrimas amargas. Eu não tinha direito nem a esse sofrimento, quanto mais ao sentimento que estava descobrindo submerso em mim. Solucei por tudo isso, pelos anos de solidão, pela perda do Danilo, pelas velhas cicatrizes na alma, pela passagem dos anos, pelo envelhecimento, pela inutilidade dessa atração, pela inviabilidade dessa história. Chorei até adormecer.

Meus pesadelos dessa noite foram completamente desordenados. Primeiro eu estava numa praia tranquila ao entardecer e sobrevinha uma tempestade súbita. Eu corria para me proteger, mas não conseguia nunca chegar a um abrigo. Eram ondas enormes que avançavam pela areia invadindo a praia. Imediatamente eu estava em uma montanha, perdida no meio de floresta, assustada e amedrontada. Caminhava por entre os galhos, sobre um chão coberto de folhas, me arranhando e rasgando minhas roupas nos espinhos dos arbustos. Toda suja de lama. A sensação era de estar completamente perdida, sem rumo, sem direção, sem saída. Até que encontrava uma patrulha de guardas florestais e era salva como que por encanto. Então, logo me encontrava numa estrada do interior, dirigindo um automóvel em péssimas condições, de noite, com muitas encruzilhadas sem saber qual rumo tomar para sair dali. Uma sensação de desnorteamento, de confusão, de perigo iminente. Acordei de madrugada sem fôlego, com palpitações. Respirei fundo para me acalmar, tomei água, liguei a televisão em um filme qualquer. Deixei passar aquela sensação de desespero, tentando prestar atenção ao filme. Assim, consegui adormecer novamente.

Pela manhã acordei com o telefone tocando. Era Vitória.

– Mamãe, está tudo bem? Não posso ir te ver no feriado porque tenho muito trabalho atrasado e preciso me esforçar para colocar tudo em dia. Aqui já começou o frio. São Paulo está um gelo. A Comissão da Verdade me procurou. Querem que eu dê um depoimento. Talvez te procurem também. Fique esperta. Beijos.

A Comissão da Verdade estava revendo todo o período da ditadura e de fato tinha me telefonado. Mas eu não quis retomar essa história. Tudo era muito triste e reviver seria inútil. Danilo estava na lista dos desaparecidos e eles procuravam indícios de como ele teria sido torturado e assassinado. Queriam descobrir onde tinham sido enterrados os corpos de todos aqueles mortos na repressão. Minha energia para isso já se esgotara há muitos anos.

Semanas depois Vitória veio de São Paulo passar uns dias comigo. Chegou o momento em que fomos convidadas para participar de uma sessão da Comissão da Verdade. Nos preparamos vestindo roupas discretas. Estávamos ansiosas. Não sabíamos o que iria acontecer. No auditório havia lugares reservados para nós e uma recepcionista nos encaminhou até lá. Os componentes da comissão citaram o nome de Danilo e nos pediram que nos aproximássemos da mesa. Foi lido um pequeno relato sobre a vida de Danilo e suas participações na reação à ditadura com depoimentos de colegas. Esclareceram que não haviam encontrado nenhum vestígio ou evidência de como ele tinha sido assassinado. Pediram perdão em nome do governo e nos deram um novo atestado de óbito em que constava como causa da morte "atos de violência praticados pelo Estado". Vitória, corajosamente, tomou a palavra e disse:

– Agradecemos muitíssimo as palavras de conforto, mas queremos mais. Eu não conheci meu pai. Cresci sem sua presença e seu apoio. Sei dele por informações de minha mãe e de outras pessoas. Quero saber quais foram as circunstâncias da sua morte; quero saber por quais sofrimentos e torturas passou; quero saber quem deu a ordem para a execução; quero saber quem presenciou sua morte; quero saber como, quando e onde morreu; quero saber onde está o corpo; quero saber como resistiu e quais foram suas últimas palavras; quero velar os restos mortais do meu pai; quero saber onde posso ir homenageá-lo e rezar por ele. Sem isso nunca conseguirei encontrar uma certa paz.

O coordenador da mesa agradeceu a Vitória suas palavras e esclareceu:

– Os poderes da comissão são limitados, ainda não há informações disponíveis, mas vamos continuar procurando.

Voltamos para casa melancólicas. Sabíamos desde o princípio que a comissão, mesmo que encontrasse os culpados, não poderia propor ou exigir uma punição. Agora alguns torturadores estão sendo acusados de crimes contra a humanidade, que são imprescritíveis. Mas de que adiantaria puni-los? Nada nos traria Danilo de volta. Seria apenas mais uma culpa a carregar pelo sentimento de vingança?

Vitória foi logo para o aeroporto, pois tinha compromissos em São Paulo. Abraçamo-nos carinhosamente na despedida. Tanto ela como eu estávamos esgotadas. Parecia que tinham esfolado nossas almas, trazendo de volta lembranças, dúvidas, inquietações, ânsias. Nada havia sido esclarecido e o vazio de respostas transformava aquele ritual em um jogo de sombras. O emaranhado de indícios trazidos pelos depoimentos de outros militantes, que tinham visto ou ouvido Danilo em algum quartel, não levava a nada de conclusivo. Continuávamos sem saber os detalhes do que realmente tinha acontecido com ele. E isso era exasperante.

Voltando do aeroporto aonde fui levar Vitória, fiquei observando uma foto com Danilo na mesa do meu escritório. Éramos jovens e estávamos alegres. Tínhamos feito um longo passeio de bicicleta e naquele momento paramos para tomar uma água de coco num quiosque. Nossas bicicletas estavam encostadas, cada um com um coco nas mãos. Um amigo passou e nos fotografou. Usávamos tênis surrados, gastos. Um pouco sujos de terra. Eu tinha cabelos compridos e estavam amarrados atrás com um laço de fita. Usava uma calça comprida de veludo cotelê vermelha e uma blusa branca de malha com frisos azuis. Danilo estava de calça jeans e camisa de marinheiro. Naquele tempo ele era muito magro. Seu semblante revela uma esperança difusa, como se o mundo pudesse realmente melhorar e trazer dias mais justos para todos. Como se houvesse possibilidade de que as desigualdades sociais pudessem realmente ser atenuadas. Seu meio sorriso indica uma convicção inabalável no futuro. Seus olhos brilhantes estavam no céu azul translúcido, como se o horizonte demonstrasse que tudo poderia acabar bem, que seus companheiros tinham razão em abraçar a luta de maneira tão intensa e plena. Eu estou dirigindo meu olhar para seu rosto, com admiração e carinho. Parece que estou maravilhada com sua juventude e beleza, com sua pele dourada, com sua virilidade, com sua força e energia. Meu sorriso é franco, claro, sincero. Minha face está rosada pelo sol. Tudo é graça, alegria, harmonia. O futuro não nos assombra. Estamos dispostos a tudo, estamos abertos às novas experiências e às surpresas que a vida pode nos trazer. Estamos abraçando os dias com sofreguidão, ávidos por participar da história. Não queremos esperar pelos acontecimentos, mas sim criá-los. Queremos agir, atuar. A cena está impregnada de inocência, ingenuidade, pureza, esperança.

A fotografia me deixou com o coração consternado por tudo o que sobreveio a esses dias felizes, por tudo o que fugiu aos nossos planos e desejos.

Para escapar da nostalgia, mergulhei na leitura de *O túnel*, de Ernesto Sábato. A paixão e o ciúme daquele pintor, Juan Pablo, por Maria Iribarne, a única mulher que talvez o tenha compreendido por meio de sua pintura, vão me envolvendo de tal maneira que não consigo largar o livro. Com imagens e palavras exatas, o autor vai construindo uma metáfora da dificuldade de comunicação e da inevitável solidão humana. Como num romance policial, uma trama de desespero, desencontro, angústia e desconfiança leva ao homicídio de Maria. Senti um desejo enorme de compartilhar a emoção da leitura com Francisco.

Lembrava-me de que Sábato tinha sido um opositor ferrenho à ditadura militar da Argentina e que empreendera um enorme esforço escrevendo o informe *Nunca más*, sobre as violações dos direitos humanos em seu país. Sofreu tanto durante a pesquisa que se declarou impossibilitado de continuar a escrever literatura depois dessa experiência dolorosa. *O túnel* não toca nesse assunto. Focaliza as contradições da natureza humana e a experiência dos seus limites.

Eu não tinha comentado com Vitória sobre minha amizade com Francisco. Temi que ela me julgasse, que me censurasse. Embora fosse uma moça moderna, eu era sua mãe, e penso que para ela a minha época de amar já tinha passado.

À noitinha fui à livraria. Francisco estava muito ocupado. Deixei-me ficar distraidamente, lendo as orelhas e as contracapas dos livros. A consciência da proximidade de Francisco alterava minhas emoções. Uma mistura de curiosidade e desejo de intimidade percorria meus sentimentos. Tentei me distrair verdadeiramente interessando-me pelos livros. Era um pouco angustiante saber da existência de tantos livros diante da limitação de tempo para leitura. Era uma impossibilidade. Nem em uma vida inteira conseguiria vencer toda a oferta de livros e tinha que conviver com essa constatação, de que teria oportunidade de conhecer apenas uma mínima parcela de tudo o que havia sido produzido pela inteligência e pela imaginação humanas. E que, partindo dessa evidência, era preciso escolher os melhores, os indiscutíveis, os consagrados. Por isso não frequentava feiras de livros. Com humildade, com paciência, com persistência, iria vencendo essa barreira intransponível da quantidade, priorizando a qualidade e o gosto pessoal. O importante era que a leitura preenchia minha vida e me permitia viver experiências extraordinárias. Era uma atividade prazerosa e infinita, pois quanto mais lia mais descobria novos livros para ler. Esse pensamento da infinitude da leitura era consolador: saber que durante toda a vida teria livros disponíveis.

Gostava de mergulhar em outros mundos, em outras realidades, compartilhar emoções com os autores e personagens. Gostava de testar minha resistência e minha atenção, mesmo quando o livro não era particularmente de meu interesse primordial. Gostava de apreciar a forma como os autores manipulavam a linguagem, como descobriam formas novas de criar imagens e de descrever emoções, pensamentos, sensações. Apreciava a originalidade e o engenho dos escritores em relação às possibilidades da linguagem. Para onde fosse sempre levava um livro. Era um recurso infalível contra a monotonia e o vazio. Por causa da leitura me afastara de outras atividades e abrira mão de outras experiências. Nunca me interessara pelas telenovelas nem pelos esportes, por exemplo. Mas tinha valido a pena. Ficara interiormente íntima de vários escritores, como Drummond, João Cabral, José Lins do Rego, Rubem Braga, Graciliano Ramos, que lia e relia durante toda a vida.

– Como vai, Ângela, tudo bem? – disse Francisco se aproximando.

– Muito bem, e você? Andou viajando, não foi?

– Estive em São Paulo e no Rio percorrendo algumas editoras. Mas foi uma viagem rápida. E você, leu o livro do Borges?

– Li, sim, e adorei. Depois quero conhecer outros livros dele. Já tinha lido um, mas nunca tinha mergulhado pra valer nos seus textos. Valeu a experiência. Fiquei emocionada.

– É, ele é denso e suas narrativas nos envolvem profundamente.

– Recentemente eu li *O túnel*, do Ernesto Sábato. Uma maravilha de livro. Não consegui parar até chegar ao fim. Fiquei envolvida pela trama, pelos personagens, pela paixão desesperada e ciumenta daquele pintor.

– De fato, é um livro esplêndido. A literatura argentina é incrível. A cada dia descubro um autor mais interessante. Você não gostaria de participar de um debate que vai acontecer aqui na livraria daqui a pouco? Virão professores de literatura da universidade, escritores, estudantes, leitores. Vamos discutir a literatura brasileira contemporânea. Eu gostaria muito que você estivesse junto conosco. Tenho certeza de que vai gostar.

– Ah! Claro. Que hora começa?

– Daqui a meia hora mais ou menos. Fique por aqui olhando os livros e logo nós começaremos – disse Francisco, colocando carinhosamente a mão sobre o meu ombro.

Percebi o gesto e usufruí de uma sensação agradável de intimidade, como se uma onda protetora e acolhedora me tivesse envolvido momentaneamente. Uma aceitação, uma aprovação por ser quem era, uma leitora.

Algumas cadeiras tinham sido colocadas em forma circular no porão da livraria, onde funcionava uma espécie de depósito. Estantes cheias de livros, caixas pelo chão, uma mesa de trabalho. Francisco me conduziu para que me sentasse ao seu lado. As pessoas foram chegando e tomando seus lugares. A descontração indicava que já eram conhecidos. Jovens, mulheres, senhores mais velhos, o grupo era desigual, mas harmonioso.

A conversa desenrolou-se agradável e suave. Todos participavam ativamente, dando suas opiniões sobre escritores como Milton Hatoum, Francisco Dantas, Adriana Lisboa, Bernardo Carvalho, Ruffato, Ricardo Lísias, e determinando vertentes para a narrativa moderna. Acompanhei interessada, mas não me senti segura para participar com impressões de amadora. Anotei os autores que me despertavam interesse quando iam sendo apresentados. Fiquei particularmente atenta quando a conversa girou em torno de um escritor que tinha parado de produzir no auge de sua força criativa: Raduan Nassar. Coloquei-o entre minhas prioridades de leitura.

Francisco intervinha na discussão com frequência, coordenando as intervenções e deixando suas opiniões. Eu observava sua fala articulada e precisa, seus gestos calmos e firmes, sua voz quente e suave. Sentia-me protegida por ele de qualquer crítica que porventura surgisse à minha pessoa por permanecer calada. Estava sob seus cuidados, era sua convidada especial e, portanto, tinha a prerrogativa de apenas observar sem intervir, sem expor meus pensamentos.

Quando Francisco tomou a palavra e encerrou o debate, as pessoas foram se levantando em meio a conversas paralelas. Havia uma mesa com sucos e biscoitos. Despediam-se dele, prometiam voltar na próxima oportunidade, elogiavam a iniciativa e agradeciam o convite. Algumas pessoas me foram apresentadas, e registrei principalmente o nome de uma professora de literatura. Quando o ambiente estava mais vazio Francisco virou-se para mim e convidou-me:

– Quer comer alguma coisa aqui na esquina? Temos um ótimo café, que serve saladas maravilhosas.

– Vamos. Estou mesmo faminta. Não vou atrapalhar seus planos?

– De jeito nenhum, meu plano era mesmo esse. A não ser que você não goste da companhia.

– Imagine! Vamos lá.

Francisco apagou as luzes e trancou a livraria enquanto eu esperava. Fomos caminhando lado a lado pela calçada, silenciosamente. Francisco, às vezes, olhava sorrindo para meu rosto, eu respondia com outro sorriso. No café, pedimos sucos e saladas com verduras, legumes e frutas. Francisco puxou a conversa:

– Então, o que achou do debate?

– Gostei muito, embora não tenha me sentido à vontade

para participar. Aprendi muito e já anotei alguns livros que quero ler.

– É uma turma muito boa. Todo mundo envolvido com livros. Sempre faço encontros assim. Você vai se acostumando e aos poucos começa a participar ativamente. Não é preciso ter medo, pois ninguém censura ninguém. Você não viu?

– Eu percebi que a conversa é livre. Mas são pessoas preparadas, especializadas, estudiosas, mesmo.

– Mas em literatura o que vale é a percepção do leitor, a emoção, a sensibilidade. Mais que qualquer forma de análise científica. É para isso que é produzida, para emocionar, para fazer refletir. Aquele aparato teórico serve para escrever artigos sofisticados e impressionar os colegas críticos. Numa conversa assim, o que pesa mesmo é a análise impressionista de cada um. Em alguns casos, a teoria ajuda a ver outros níveis de leitura, mas não explica tudo.

– É, pode ser. Mas me conta como você enveredou pelo mundo dos livros.

– Primeiro eu já era bom leitor desde a infância. Li tudo de Monteiro Lobato. Na juventude, com uma ótima professora de português, descobri a literatura brasileira moderna, os poetas. Depois, no curso de Filosofia, continuei a ler desbragadamente. Meio sem ordem ou plano, ia pelo gosto. Passei quase vinte anos trabalhando numa editora e consegui acumular umas economias. E agora realizei o sonho de ter uma livraria. Só não me acostumei com as questões contábeis. Sou muito desorganizado. Até que as encomendas e escolhas de livros eu enfrento bem. Quero mesmo é o prazer de conversar com leitores sobre livros. Vou arranjar um funcionário que tome conta da burocracia para que eu fique mais livre. Penso que a gente tem que fazer aquilo de que gosta, escolher uma profissão que dê prazer antes de tudo. Afinal, muito do nosso tempo é dedicado ao trabalho. São muitas horas no esforço para conseguir um rendimento que dê para nos sustentar. E você, o que faz?

– Sou paisagista. Planejo jardins e oriento a execução. Vivo no meio de plantas, vasos, mudas, terra, adubo...

– Nossa! Que interessante! Eu sou um pouco "natureba"... Tenho até umas plantas de que gosto muito. Cuido delas no domingo. Mas moro em apartamento, sabe como é, não tem muito espaço. Tenho muitos livros sobre paisagismo lá na livraria. Depois vou mostrá-los. E sua família?

– Sou viúva e tenho uma filha que mora em São Paulo. Vivo sozinha. Também moro em apartamento e não dá para ter muitas plantas como eu gostaria.

Os olhos de Francisco brilharam indiscretamente. Ele observava seus gestos, sua forma de falar, seus olhos, sua boca, seus cabelos castanhos, suas mãos bem cuidadas, sua forma esportiva de se vestir. Tudo lhe parecia harmonioso, suave, agradável. A diferença de idade não se interpunha entre seus pensamentos e o prazer que sentia com a companhia dela. Imaginou-se ao seu lado numa rede, na varanda de uma casa no campo, com barulho de cachoeira e cheiro de mato. Acompanhava sua fala meio de longe, imerso num clima de encantadora intimidade. Sentia vontade de passar a mão nos seus cabelos e de acariciar esse rosto tranquilo. Mas conteve-se e continuou a conversa trocando informações sobre rotinas e gostos. A conversa girava agora em torno do cinema, pelo que eram apaixonados. Diretores, filmes antigos e modernos. Muitas preferências coincidiam e as impressões eram compartilhadas com alegria e entusiasmo. Os comentários sobre filmes recentes revelavam opiniões e perspectivas próximas.

Percebi que já era tarde.

– Vamos indo?, já é quase meia-noite.

Despedimo-nos como se fôssemos amigos de infância. Demorei a adormecer. As emoções do debate e da conversa com Francisco eram completamente novas. Um novo mundo se abria para mim, que até então tinha sido uma leitora solitária, que não tinha com quem compartilhar esse prazer. Encontrara cumplicidade e compreensão. Encontrara o infinito prazer da troca de experiências refinadas, secretas, particulares e individuais. Era como se um canal de comunicação nunca antes usado tivesse sido inaugurado. A troca de experiências intelectuais promovia uma aproximação intensa entre mim e Francisco. As fronteiras de idade desapareciam e um mergulhava na mente do outro com naturalidade. E esse mergulho era prazeroso.

Ouvi o disco de Ivan Lins como uma premonição:

Começar de novo e contar comigo

Vai valer a pena ter amanhecido

Ter me rebelado, ter me debatido

Ter me machucado, ter sobrevivido

Ter virado a mesa, ter me conhecido

Ter virado o barco, ter me socorrido

Foi uma noite insone! Mil pensamentos rodopiavam em minha mente num movimento descontrolado. O que estará pensando ele agora? Que será que sentiu na minha companhia? Que pena que sou tão mais velha! Quantos anos ele terá? Quarenta, quarenta e cinco? Devemos ter mais de dez anos de diferença, com certeza. Nem posso pensar em me aproximar mais, seria uma fonte de sofrimento. Mas não posso abrir mão dessa convivência que estabelecemos até aqui. Quero compartilhar com ele minhas leituras, quero trocar ideias, quero a sua companhia, quero estar por perto dele. Isso não tem volta. Vou tentar manter essa amizade nesse tom em que está. Mas não vou me afastar. Nem vou procurar uma aproximação maior. Seu sorriso, sua voz, seus gestos... tudo me encanta. E o que me encanta mais são seus pensamentos, sua paixão pela leitura, pelos livros, pelas ideias. E o seu corpo? Que pele morena! Que porte misterioso! O que se esconderá sob aquela aparência tão suave? De que seria capaz na intimidade? Suas mãos parecem tão fortes, tão seguras. Ah! Como eu gostaria de mergulhar naqueles braços. Tenho que me controlar. Afinal ele tem pouco mais que metade da minha idade. Já vivi uma vida, não tenho direito de usufruir outra vez esses prazeres. E o que diria minha filha? O que diria Paula? E minha família? Ninguém admitiria uma relação dessa natureza. Está vetado. Como ele conduzia o debate com competência e tranquilidade! Como sua fala é suave e elegante! Domina totalmente a expressão em público. Todos o respeitavam e admiravam durante a conversa. Como eu gostei de ter estado lá essa noite. Tomara que aconteçam outras assim! Não podia controlar meus pensamentos, que sempre voltavam para Francisco. Detalhes do seu rosto, das suas mãos, da sua voz, seus cabelos, sua pele, suas mãos sobre meu ombro, sua alegria, seus sorrisos, tudo me inebriava, me enfeitiçava.

Dormi embalada pelo encantamento produzido por Francisco. Meus sonhos foram inicialmente agradáveis. Sobrevoava uma cidade europeia, via suas ruas, seus prédios, seus monumentos, um rio que a atravessava. Talvez Paris. Mas não estava em um avião, voava sozinha, flutuando levemente. A sensação deliciosa do vento na pele, dos raios de sol, dos pássaros com que cruzava às vezes. Depois começaram pesadelos atormentados. Havia uma discussão, minha filha me acusava e repreendia, não admitia que eu tivesse uma vida particular. Uma enorme sensação de culpa, de remorso, de arrependimento. Uma vontade de chorar. De repente, estávamos no meio da rua, aos gritos. Todos os vizinhos chegavam à janela para espiar o que estava acontecendo. Alguns tomavam o partido da Vitória. Gritavam frases acusatórias. Começava a chover. Encharcadas, nos abraçávamos em meio a lágrimas que se misturavam à água da chuva. Passamos a ser perseguidas por um homem de capa escura. Tentamos correr, mas não conseguimos. Com dificuldade nos escondemos num beco. Quando o homem se aproximou, acordei assustada, sem ar. Levantei-me e tomei um pouco de água. Voltei para a cama e dormi depois de muito esforço.

Pela manhã, depois do banho, deparei com minha imagem no espelho do quarto. Há muito tempo eu não observava meu corpo. As primeiras rugas do rosto, em torno dos olhos, estavam bem visíveis. Os cabelos começavam a apresentar alguns fios grisalhos aqui e ali. A pele das mãos tinha manchas senis, consequência do excesso de sol na adolescência. Os seios já pesavam bastante e se mostravam um pouco caídos no corpo magro. A cintura e o ventre permaneciam elegantes, mas mostravam o passar dos anos na flacidez da carne. As pernas já haviam perdido o tônus de antes, mas se conservavam bonitas e bem torneadas. Observei as marcas da idade e aceitei que eram inevitáveis. Eu era uma senhora. Nunca tinha sido muito vaidosa e nem pensara jamais em fazer cirurgia plástica para conter os sinais da maturidade. Sabia que tudo isso era inútil, que se tratava de um percurso inexorável, avassalador. Mas pensei em Francisco e desejei ter alguns anos a menos. Desejei poder anular algumas transformações e voltar ao viço da juventude perdida. Mas o envelhecimento é implacável. E tudo passa tão rápido! Parece que foi ontem que eu estava na universidade, no esplendor da juventude. Depois, o sofrimento da perda de Danilo. O nascimento de Vitória. A reconstrução de uma vida sozinha. Tantos jardins, tanto trabalho. Tudo passou velozmente como um vendaval.

Eu não podia evitar aquela atração. Meio inconscientemente voltei à livraria várias vezes. Trocávamos algumas palavras, comentávamos nossas leituras, falávamos de filmes em cartaz. Às vezes ficávamos em silêncio, mas eram momentos densos, cheios de significados. Passamos muitas horas conversando sobre o livro *Lavoura arcaica*, de Raduan Nassar, que eu afinal lera e também vira o filme.

– André, o narrador, revela o avesso da família, não é? *Lavoura arcaica* é uma aventura com a linguagem. O Raduan Nassar consegue mostrar o conflito entre a tradição de uma família libanesa, que vive como se ainda estivesse no oriente, e uma nova forma de vida que se pretende ser instaurada através do incesto entre André e Ana, sua irmã mais nova. Incrível aquele capítulo do pai falando sobre o tempo. Inesquecível! – disse Francisco.

– É mesmo, fiquei horas lendo e relendo aquele capítulo. Fiquei tão impregnada pelo livro que passei dias sem querer ler mais nada, para não dissolver aquelas sensações, aquelas emoções.

– Pena que ele parou de escrever. Só fez *Um copo de cólera*, uma novela, e *Menina a caminho*, que são uns contos. Você já conhece?

– Não, mas quero ler. O filme *Lavoura arcaica* tem uma fotografia maravilhosa e é bem fiel ao texto do livro. Raduan teve sorte com o diretor e os atores. Conseguiram fazer um excelente filme a partir do seu livro. Isso é muito difícil. Sempre acho que o livro é melhor.

– O que você acha de amanhã pela manhã darmos uma caminhada juntos no parque?

– Adoraria. Que tal sete horas?

– É muito cedo. Passe aqui por volta de oito e meia. Eu abro a livraria e nós vamos.

– Está combinado.

Passei a noite tendo pesadelos com Danilo. Alguém me dizia que ele tinha sido machucado na tortura e que estava em um hospital. Eu o procurava pelos hospitais da cidade.

Chovia. Eu tinha dificuldade de condução. Pegava ônibus cheios. Passava por ambulatórios e quartos, descobrindo os doentes um a um. Não encontrava Danilo em nenhuma cama de nenhum quarto. Alguém me dizia que ele estava numa sala de cirurgia. Eu chegava na porta e tentava ver pelo vidro quem estava na mesa de operações. Havia muito sangue pelo chão. Quando sai um médico eu imploro por informações. Ele me diz que o rapaz que está sendo operado está muito machucado. Quase sem esperanças... Deslizo para o chão desmaiada de aflição. Chegam uns policiais e tentam me afastar da porta. Eu resisto, luto, brigo, esbofeteio, grito. Mas minha voz não sai. Estou sufocada de desespero. Quando tentam me imobilizar, acordo trêmula, suando muito, com o coração disparado.

Acendo o abajur. Vou até a cozinha e tomo um copo de leite morno. Abro um livro para me distrair e tentar pegar no sono. Demoro a dormir novamente. Acordo cedo, ainda está escuro. Mesmo assim resolvo me levantar. Faço um chá e me lembro do pesadelo. O que significaria? O que poderia estar me revelando? Suspeito que o espectro de Danilo ronde meu inconsciente, que a ferida ainda esteja aberta, que os anos não tenham apagado meus sentimentos, que as marcas da sua ausência ainda sejam profundas e doloridas.

Tomei uma ducha e preparei um café. Fiquei em dúvida sobre o que vestir. Depois de muita indecisão escolhi uma calça de malha colada e um camisão bem esporte. Coloquei tênis e um chapeuzinho de palha. Não queria me sentir ridícula ou parecer uma senhora que quer passar por jovem.

Na hora marcada passei pela livraria. Francisco estava me esperando de bermudas, tênis e chapéu de tecido de algodão cáqui. Bem esportivo. Fomos andando bem perto um do outro. Seu perfume me invadia a alma e provocava emoções desencontradas. Sabíamos que havia uma atração mútua, mas não falávamos disso. Em todos os gestos havia insinuações, promessas, mensagens cifradas de sedução, de consentimento para a aproximação.

Quando estávamos cruzando uma ponte sobre um lago encontramos meu amigo Paulo, dono de uma floricultura de que eu era compradora frequente. Éramos amigos desde a juventude e essa amizade tinha se aprofundado devido às nossas profissões. Eu sempre comprando plantas e ele com uma loja conceituada. Tinha a idade que o Danilo teria se estivesse vivo, e isso sempre me perturbava. Via seu porte atlético, sua saúde, sua disposição para o trabalho, e imaginava como Danilo seria atualmente. Ele parou para conversar:

– Oi, Ângela. Caminhando para manter a forma? Separei as plantas que você me encomendou. Ainda preciso de umas duas que estão em falta, mas vão chegar logo. Assim que chegarem eu te ligo.

– Oi, Paulo. Este é o Francisco. Um amigo. Ele tem uma livraria perto da minha casa.

Cumprimentaram-se cordialmente. Mas percebi no olhar de Paulo um ar de zombaria, de ironia. Despedimo-nos:

– Passo lá mais tarde para escolher outras plantas. Vamos continuar, senão a caminhada não faz efeito. Tchau.

Francisco percebeu também o ar desconfiado de Paulo e comentou:

– Engraçado, esse seu amigo. Parece que tem interesse em você. Olhou para mim de forma muito esquisita.

– Imagine. Nós nos conhecemos há anos. Somos amigos. Compro muito na floricultura dele. Ele era amigo do meu marido na juventude.

– Como ele morreu?

– Ele era militante político e foi morto pela repressão da ditadura militar. Desapareceu. Nunca soubemos como nem quando. Nunca recebemos o corpo. Agora a Comissão da Verdade está revirando essa história.

Era a primeira vez que falávamos francamente sobre os anos de chumbo e sobre a minha trágica experiência. Não queria pena ou compaixão. Sempre evitava despertar esses sentimentos nas pessoas.

– Meu Deus! Não imaginava isso. Pensei que tinha sido uma morte natural. Você deve ter sofrido muito. Eu nasci em plena ditadura, pouco antes do AI-5. Cresci amedrontado com o que ouvia dos meus pais, que também eram envolvidos em política. Mas nunca foram presos. Ficaram quietos quando a coisa ficou mais séria. Meu pai, Seu Geraldo, era jornalista e reclamava muito da censura. Resmungava o tempo todo contra os militares. Minha mãe, dona Sônia, era professora universitária, e também ficou mais calada do que gostaria, já que o cerco às universidades era duro. Hoje eles estão aposentados e moram em Minas Gerais, num sítio perto de Belo Horizonte. No meu tempo de escola vivíamos o começo da abertura política. Mas tantos anos de repressão deixaram uma marca profunda. Não tive oportunidade de atuar politicamente. Fui às ruas pelas Diretas. Foi o máximo a que cheguei. Depois, pelo *impeachment* do presidente. Por falar nisso, vamos ao cinema hoje ver um filme sobre a ditadura?

– Vamos, sim. Estou disponível.

Voltamos silenciosos e cansados.

– Então, até de noite. Nos encontramos na porta do cinema. Tudo bem?

– Tudo bem. Estarei lá.

Encontrei Francisco um pouco antes da sessão.

– Acho que vai ser bom para você, porque esclarece muito a respeito da ditadura. A não ser que você não queira relembrar nada.

– Não tem problema. Acho que já superei um pouco esse trauma. Gosto de ver filmes que contam essa história. As novas gerações precisam saber o que aconteceu no país. E é necessário não esquecer para que não voltem a ocorrer as atrocidades daquele período.

O filme era *O dia que durou 21 anos*, de Camilo Tavares, e o cinema era perto da livraria. Saímos da sessão emocionados e um pouco perplexos com as revelações sobre a intervenção americana no golpe de 64.

– Então, o que achou? – perguntei.

– Muito impressionante. Principalmente a quantidade de documentação que ele conseguiu nos Estados Unidos. Mas a primeira coisa que me chamou a atenção foi a estética. Começa quase como um *game*. O emprego de fotografias de arquivo animadas, de trilha sonora pulsante durante as imagens de manifestações, e a montagem acelerada seduzem o espectador. O ritmo da produção é envolvente e não deve nada a grandes ficções americanas em termos de suspense e requinte de produção.

– É, me assustei com o grau de ingerência americana no golpe. Eu sabia que eles estavam por trás de tudo, mas não calculava essa intensidade. Você reparou que a maior parte da explicação histórica sobre a ditadura brasileira vem de peritos norte-americanos, enquanto os brasileiros participam principalmente com suas lembranças pessoais? De modo geral, são eles que explicam, e nós só confirmamos. E a participação das autoridades de lá, muito impressionante.

– É mesmo.

– Você sabia que o diretor do filme é filho de um militante que foi trocado pelo embaixador americano sequestrado em 69? É filho do Flávio Tavares, que foi para o México. Lá nasceu o Camilo, que é o diretor. Naquela época vivíamos em pânico. A censura era severa. Nada saía na imprensa a respeito das reações à ditadura. Podíamos ser presos a qualquer momento, por qualquer motivo, e mesmo sem motivo. Muitos dos nossos amigos foram torturados e muitos desapareceram, assim como Danilo. Foi um período péssimo da nossa história.

– Você chegou a ser presa?

– Não, eu não participava diretamente de nada. Apenas ajudava na retaguarda. Mas corri riscos, porque conhecia muitos daqueles militantes que agiam junto com o Danilo. Muitas vezes eles se reuniram na minha casa. Até abriguei alguns que corriam risco de ser presos. Mas eu tinha medo, vivia assustada. Pressentia que as coisas não iam terminar bem. Um sobressalto atrás do outro. A luta era evidentemente desigual: uns jovens abnegados, mas despreparados e desequipados para a luta contra todo o aparato militar do país. Imagine! Não sei como eles não percebiam isso. Eu enfrentava uma divisão constante: queria apoiar, mas temia as consequências. Concordava, e sentia remorsos por não mergulhar de cabeça. Nunca fui muito corajosa.

– Não consigo imaginar esse clima. Hoje temos tanta liberdade. A democracia está plenamente instalada, embora ainda tenha grandes defeitos. Acompanho a política de perto. Gosto de assistir todos os jornais na TV e leio os jornais impressos. Mas sempre torço para que nossos políticos sejam melhores. Que o nosso povo faça escolhas certas. Há ainda muita corrupção. Se não houvesse essa roubalheira estaríamos em melhor situação. Somos um país rico e trabalhador, não é?

– É verdade. Poderíamos já estar quase no primeiro mundo se as coisas fossem um pouco diferentes. Quando trabalho para obras públicas vejo tanta corrupção que é de assustar. Já fui assediada para participar de esquemas horrorosos. Sempre consegui escapulir, mas é difícil... a pressão é grande.

Fomos andando vagarosamente até o meu prédio. Francisco despediu-se com dois beijos no meu rosto.

Demorei a pegar no sono. As informações do filme me deixaram excitada. Incrível como não sabíamos de quase nada na época. Como a história corre por caminhos misteriosos! Tive vontade de rever o filme para gravar melhor aqueles fatos e compreender mais profundamente todas aquelas transações. Era uma revelação intensa de ocorrências que fugiam ao nosso conhecimento. Imaginei quanto daquilo tudo Danilo já sabia. Claro que ele era sempre contra os americanos, nem permitia que se comprasse Coca-Cola em casa.

Mas penso que o antiamericanismo era uma espécie de moda generalizada nos anos sessenta e setenta, uma tendência da juventude, sem maiores argumentos, evidências ou dados mais consistentes. Havia pichações por muitas paredes com os dizeres: *Yankee go home*. A interferência americana era pressentida, mais que constatada. Existia uma tal de Aliança para o Progresso, que era a face visível dessa intervenção. Leite em pó era distribuído nas escolas públicas para a merenda escolar, e os militares da repressão usavam equipamentos com os símbolos da Aliança. Vi isso quando invadiram a minha universidade.

Voltei a sonhar com Danilo. Foram pesadelos turbulentos, aterrorizantes, com perseguições e sofrimento. Acordei no meio da madrugada, atordoada, trêmula, com dificuldade para respirar. Acendi a luz, andei um pouco pela casa para me acalmar. Fui à cozinha, tomei um chá de camomila e comi uns biscoitos. Mas a sensação desagradável não passava. Liguei a TV e fiquei vendo um filme antigo até o sono chegar novamente.

Durante muito tempo frequentei a livraria e os encontros literários. Francisco me indicava leituras interessantes e assim fiquei conhecendo autores maravilhosos que nunca tinha lido: a neozelandesa Katherine Mansfield, os ingleses Doris Lessing e Ian MacEwan, os americanos Philip Roth e Carson MacCullers, o húngaro Sándor Márai, o israelense Amós Oz, o uruguaio Mario Benedetti, o chileno Hernán Letelier, o argentino Mempo Giardinelli. Nossas conversas sobre literatura atravessavam horas. Gostávamos de ficar trocando impressões depois dos debates.

Uma dessas noites, após um debate, Francisco me convidou para um café.

– Vamos a pé, tem um lugar ótimo aqui perto – eu disse.

– Está bem. Depois voltamos caminhando – respondeu Francisco, passando o braço em torno dos meus ombros.

O perfume de lavanda de Francisco envolveu-me e meu pescoço ficou todo sensibilizado por aquele contato. Sensações sutis despertavam meu corpo adormecido de emoções há tanto tempo. Levantei meus olhos para o seu rosto indagando silenciosamente se era correspondida. Ele me devolveu um olhar terno, cheio de promessas. Ficamos algum tempo assim, olhos nos olhos, confessando calados um sentimento mútuo.

Francisco nunca se aproximava de uma mulher sem considerar a possibilidade de uma relação mais íntima. Estava sempre aberto a novas experiências sensuais e amorosas, embora a realização desses impulsos não fosse tão frequente em sua vida. Tinha três relacionamentos esporádicos com moças de comportamento mais livre e que não exigiam dele nenhum compromisso. Quando estava muito só, lançava mão dessas companhias. Mas agora estava profundamente atraído por aquela mulher madura. Não conseguia evitar que seus pensamentos vez por outra o levassem até ela. Ainda não conseguia definir bem seus sentimentos, mas sabia que desejava sua presença, gostava de estar próximo dela, se sentia bem ao seu lado, e quando estava longe dela ansiava por encontrá-la. Cada encontro era um momento de alegria, de expectativas realizadas. Sentia que precisava avançar e criar mais intimidade.

Chegamos a uma casa de chá com um belo jardim. Estava quase vazio. Sentamo-nos a uma mesa meio escondida no fundo, sob uma pérgola coberta de alamanda em plena floração amarela. Pedi um chá preto com torradas. Francisco quis um suco com sanduíche. Subitamente ele pegou na minha mão, olhando diretamente nos meus olhos.

– Ângela, estou muito atraído por você. Penso muito em nós dois. Quero estar cada vez mais próximo. Gosto de conversar com você, mas quero mais. Quero intimidade, cumplicidade, companheirismo.

– Mas temos uma diferença de idade enorme. Você pode se relacionar com mulheres mais jovens e mais interessantes. Eu não estou aberta para uma relação amorosa. Ainda tenho muitas cicatrizes dolorosas.

– Nem pense nisso. A idade não conta. O que conta é a atração, é a afinidade. Eu quero curar suas feridas. Quero que você descubra novamente a doçura do amor.

Francisco falava isso alisando minhas mãos carinhosamente.

– Sei que há afinidade entre nós dois, mas não sei se é uma boa ideia começar alguma coisa. Posso sofrer mais ainda e posso fazer você sofrer.

Eu falava tentando mostrar segurança, mas estava atordoada. Por dentro estava dividida entre o desejo de me entregar àquela proposta e o medo de entrar numa experiência fadada ao fracasso. Senti uma alegria enorme de perceber que o meu sentimento, surgido há vários meses, era correspondido, que eu provocava atração e desejo, mas ao mesmo tempo isso me assustava. Havia afinidade, mas muitas diferenças. Principalmente no que diz respeito à história de cada um. Eu carregava um peso enorme de lembranças amargas, de recordações sombrias. Francisco era leve, suave, doce, parecia não ter passado por nenhum desgosto ou sofrimento.

Ele passou o braço pelos meus ombros e me puxou para bem perto. Começou beijando meu pescoço, meus cabelos, meus olhos, e chegou até minha boca. Mas eu não correspondi. Petrificada diante daquela aproximação íntima, não pude me entregar aos seus carinhos. Desconcertada, afastei seu rosto do meu com cuidado.

– Ainda não. Não estou pronta. Vamos devagar. Não quero magoá-lo, mas ainda não consigo me soltar, me entregar assim como você merece. Sinto atração por você, mas há muitos bloqueios em mim. É como se não tivesse mais direito, como se isso tudo que eu sinto e sei que você também sente não fosse aceitável. Você me compreende?

– Acho que sim. Mas não concordo que você continue alimentando esse tipo de pensamento. Vamos viver a vida! Vamos nos soltar e aproveitar as nossas emoções, o nosso afeto. Isso é tão difícil de acontecer! Hoje em dia as relações estão muito superficiais. Ninguém se interessa realmente pelo outro. Tudo tem que render algum tipo de lucro social e um relacionamento é facilmente descartável. Mesmo nos casais juntos há muitos anos vejo tanta hostilidade, eles apenas se toleram, não há uma comunhão efetiva. Acho que quando somos surpreendidos por um sentimento real, profundo, intenso, recebemos uma espécie de bênção, como se tivéssemos sido escolhidos pelos deuses para realizar o céu aqui na terra. Parece que idealizo, que me iludo com facilidade, não é? Mas estou sendo sincero. Acho uma maravilha o que estou sentindo por você e quero ser correspondido. Percebo que você também tem atração por mim, que gosta da minha companhia, que quer usufruir da nossa convivência. Eu sinto isso... Há uma troca possível, há uma sintonia, estamos na mesma frequência. Diga que isso é verdade, por favor.

– Claro que é verdade. Eu também sinto a mesma coisa. Mas não podemos ser impetuosos. Tenha calma. Vamos devagar. Antes de tudo preciso me acostumar com a ideia de que não morri para o afeto, que ainda estou viva.

– Os homens da minha idade que estão solteiros têm uma vida muito promíscua. Não estabelecem uma relação constante com ninguém. Eu sou diferente, não sou favorável a esse comportamento. Embora tenha umas amizades coloridas também, preciso de uma convivência mais profunda, preciso de cumplicidade, de comunhão. Vejo meu irmão, Carlos, que é casado e tem com a mulher uma relação esquisitíssima. São muito diferentes e competem o tempo todo para ver quem tem razão. Parece que estão num campeonato em busca de um troféu. Um ridiculariza o outro publicamente sempre que tem oportunidade. Discordam o tempo todo e exibem continuamente hostilidades e implicâncias intransponíveis. Acho que de tanto ver isso é que nunca me casei.

– É mesmo. Também vejo muito esse tipo de relacionamento entre os casais amigos meus. Por que será que é tão difícil conviver harmoniosamente? Com Danilo não era assim. Nós nos dávamos muito bem. Não havia rivalidade, divergência, hostilidade. Nossa convivência era tranquila. Por isso até hoje é tão difícil aceitar seu desaparecimento.

– É, eu percebo que ele ainda está muito presente na sua vida.

– Desculpe, eu não precisava ter tocado nesse assunto.

– Não é o caso de pedir desculpas. Quero todas as suas lembranças, quero todos os seus pensamentos, quero todos os seus sentimentos. Quero você na sua totalidade. Não é preciso se censurar por nada. Não é preciso apagar suas recordações e experiências. Temos que conviver com elas naturalmente. Elas fazem parte do que você é hoje.

– Como você é generoso e compreensivo! Vamos indo?

Saímos andando pelas ruas silenciosamente. Ele com o braço em meus ombros. Eu um pouco constrangida. A noite estava suave, com uma brisa fresca e perfumada. Os jasmins dos jardins exalavam um aroma delicioso. Tudo parecia estar em ordem e o universo nos acolhia como se aprovasse a nossa aproximação. Uma sensação de perfeição invadia minhas emoções.

Entretanto, ao me deitar, fui envolvida por uma onda de pânico. Toda a tranquilidade e a calma que eu havia vivido momentos antes se desmoronou, se dissolveu como por mágica. A percepção de que alguma tragédia poderia acontecer a qualquer momento tomou conta dos meus pensamentos. Todo o horror que vivi com o desaparecimento de Danilo voltou a ocupar o meu coração. Tremia como se estivesse com febre. Rejeitava profundamente tudo o que havia sentido perto de Francisco. Fui assolada por uma culpa aterrorizante. Parecia que um castigo assombroso recairia sobre mim. Estava à beira de um abismo que me atraía de forma ameaçadora. A inquietação, o medo, o desassossego se instalaram avassaladoramente. O que estava acontecendo? Como eu me deixara submergir nessa perturbação? De onde vinha essa ansiedade? Não conseguia me controlar e era arrastada pela sensação de pânico, de desespero, como se uma tempestade invadisse meu quarto e eu não tivesse como me proteger. Eu me sentia como se tivesse cometido um crime e corresse perigo de ser descoberta. Um desejo enorme de acordar de um pesadelo, de descobrir que tudo fora um sonho mau, de apagar tudo o que acontecera.

Levantei-me e fui à cozinha tomar alguma coisa que pudesse me acalmar. Servi um copo de leite com as mãos trêmulas e liguei o micro-ondas. Fui sorvendo lentamente o leite morno com açúcar. Tentei me tranquilizar e compreender o que estava se passando comigo. Mas sensações antigas voltavam a me atormentar. O medo, a ansiedade, o desassossego.

Aos poucos fui voltando ao normal, mas continuava atordoada com o que ocorrera. Percebi que as feridas do passado ainda não haviam cicatrizado. O espaço do afeto estava interditado. Eu não me sentia no direito de usufruir emoções amorosas. Tentei racionalizar e me convencer de que o passado não poderia interferir tanto no meu presente, de que já era tempo de estar curada, de que Danilo, onde estivesse, estaria aprovando minha ressurreição, de que ele não gostaria de ser culpado pela minha infelicidade, pelos meus tormentos, pelos meus fracassos. Voltei para a cama e adormeci um pouco mais tranquila.

Pela manhã, Paula bateu à porta.

– Bom dia! Vim tomar café com você. Amanhã viajo para o Caribe e quero me despedir. Quero saber quando você vai me acompanhar numa viagem dessas. Só prazer, só passeios deliciosos, bebidas maravilhosas, comidas inusitadas, companhias surpreendentes. Música, dança, banhos de mar... Ah! Isso é que é vida. Vou acompanhando um grupo de turistas folgados. Vai ser ótimo!

Improvisei uma mesa de café da manhã e nos sentamos.

– Paula, quero te contar um segredo. Mas jure que não vai espalhar por aí. É um segredo muito íntimo.

– Eu sou um túmulo. Nada sai daqui dessa boca. A não ser que você me peça para espalhar a notícia. Aí eu viro um megafone. Diga...

– Estou apaixonada! E sou correspondida!

– Meu Deus!! Que surpresa!!! Já era tempo de você sair desse luto. Conte-me tudo, não me esconda nada. Quem é o felizardo que descobriu essa pedra preciosa?

– Não sei se pode dar em alguma coisa. Ele é muito mais novo.

– Mas o que isso importa? Amor não tem idade. Quantos anos mais novo?

– Não tenho certeza, mas acho que mais de dez anos.

– Não teve coragem de perguntar?

– Ainda não. Nem tive oportunidade. Mas pelas referências nas suas conversas ele nasceu na década de sessenta. Eu nasci em 1950.

– Onde você o conheceu? Quando? Como?

– Ele é o dono daquela pequena livraria aqui perto. Você já deve ter passado por ele algumas vezes. Com certeza chamou sua atenção, pois é bem bonito. Como adoro livros, tenho ido muito lá. Já faz alguns meses. Acabou que nos aproximamos e ontem ele se declarou. Mas sinto que ainda não estou pronta para um novo relacionamento. Há muitas sombras, muitas recordações, muitas feridas em mim.

– Será que eu já o vi? Fui umas duas vezes nessa livraria, mas não me lembro do dono. Como é nome dele?

– Francisco.

– Acho que sei quem é. Ele é amigo do Roberto, meu vizinho. Ângela, vá em frente, viva essa experiência, não deixe passar. Você merece ser amada e amar. São raras as vezes em que um sentimento real acontece. Aproveite essa oportunidade de viver intensamente uma paixão. Não se preocupe com o que as outras pessoas vão pensar ou falar. A vida é sua, faça dela o melhor que puder. Dou a maior força. Ninguém sabe o que o futuro pode trazer, o que pode acontecer. Arrisque-se, enfrente, coragem! Mesmo que seja efêmero, vai deixar boas lembranças.

– Ah! Minha amiga. Obrigada pelo apoio, mas estou mesmo muito insegura. Passei uma noite infernal, atormentada por sentimentos contraditórios. Mil dúvidas e muito medo.

– Medo de quê? De sofrer? Faz parte da vida. Para usufruir um pouquinho do que a vida tem de bom é preciso correr riscos. Com o amor você só vai ter alegrias. Vá por mim...

Nesse momento tocaram a campainha. Era um entregador com um buquê de flores. Rosas brancas, angélicas e folhagens. Meu coração disparou e eu fiquei extremamente alegre, rindo à toa. O cartão dizia:

Ângela,

Obrigado por você existir e cruzar o meu caminho. Tenho certeza que meus dias serão mais iluminados, pois a luz que vem de você é infinita.

Aceite o meu amor,

Francisco

Paula leu o cartão com um sorriso.

– Está vendo? É só alegria. Vá em frente. Não feche essa porta.

– Ufa! Quanta confusão na minha alma. Parece que estou numa montanha-russa.

– Agora tenho que ir. Há muitas coisas para arrumar antes da viagem. Quando voltar, daqui a dez dias, quero que tudo esteja bem entre vocês.

Quando Paula saiu e a casa ficou novamente silenciosa, mergulhei nos meus pensamentos. O que estava acontecendo comigo? Parecia uma adolescente, não conseguia racionalizar minhas emoções, não conseguia controlar meus sentimentos. A atração que Francisco exercia sobre mim estava me tomando completamente. Procurava uma forma de atenuar esse ímã, mas não encontrava qualquer neutralização. Constatava a cada instante que nossas emoções são independentes da nossa vontade, que o que me arrebatava era mais forte do que minha razão. E que o amor nos surpreende em qualquer etapa da vida.

Dias depois fui à livraria. Havia uma conversa com um escritor de passagem pela cidade. Misturei-me ao pequeno público e me sentei no fundo da sala sem falar com Francisco. Mas ele me viu e veio ao meu encontro. Sentou-se ao meu lado e disse:

– Que bom que você veio. Vai gostar da conversa. Milton Hatoum é um grande escritor. Já é um clássico. Você leu *Relato de um certo oriente*? E *Dois irmãos*? São livros maravilhosos.

– Sim, eu li os dois. Gosto muito da sua forma clássica de narrar e do recorte que ele faz na história do norte do Brasil, da participação dos imigrantes libaneses, com suas tradições religiosas e culturais, com suas memórias. Mas vá atender as pessoas. Depois nos falamos mais. Ah! Muito obrigada pelas flores!

– Gostou? Não saia sem falar comigo. Fique até o fim, está bem?

– Sim, está bem. Fique tranquilo, não vou fugir de você.

A conversa transcorreu suave e agradável. Milton Hatoum falou de seus livros, de seu processo criativo, de como reescreve incessantemente seus textos. Declarou que escreveu vinte e três versões do livro

Dois irmãos. Algumas pessoas fizeram perguntas e ele respondeu solicitamente. Depois foi servido um café acompanhado de bolo e biscoitos de queijo.

Todos foram saindo e o escritor se despediu depois de autografar alguns livros.

Francisco veio até mim, dizendo:

– Ainda bem que ficou até o fim. Tive medo que fugisse sem falar comigo. Vamos andar um pouco? Preciso relaxar, pois fico meio tenso quando recebo alguém assim como o Milton Hatoum. Tenho receio de que as discussões desandem e que alguém extrapole para a política ou para algum assunto que possa constranger o convidado. Às vezes as pessoas são um pouco invasivas, cobram posições, questionam atitudes, colocam o autor em má situação. Nosso público aqui tem o costume de se exaltar. Já vi um jornalista insultar Ferreira Gullar por ter participado no início do movimento concretista no fim da década de cinquenta. Foi constrangedor. Já vi também um espectador subir gritando na mesa durante um debate depois de um filme de Ana Carolina, acho que era *Mar de rosas*.

– Vi uma vez um professor da universidade questionar em voz alta, na plateia, por que ele não estava na mesa, já que era tão importante quanto os convidados. Essas coisas loucas sempre podem acontecer. Há muitos insatisfeitos que aproveitam para colocar suas mágoas em público. Mas correu tudo bem. Fomos todos civilizados e gentis. Você está de parabéns por ter organizado esse encontro. É bom ouvir um escritor que gostamos de ler, principalmente quando é uma pessoa despretensiosa, sem empáfia, sem vaidade exagerada. Alguns pessoalmente são insuportáveis. Colocam o ego acima de tudo. Quando é assim é uma decepção.

Francisco fechou a livraria e saímos juntos. Ele passou o braço pelos meus ombros carinhosamente. Eu estava pensativa e silenciosa, mas ele estava eufórico, ainda estimulado pelos debates, e comentava a participação da plateia.

Respirei fundo, criei coragem e disse:

– Vamos tomar café na minha casa. Tenho uma torta salgada deliciosa. Você vai adorar.

Subimos para meu apartamento silenciosamente. A atmosfera entre nós dois era espessa, compacta. Uma aura de eletricidade nos envolvia, e quando nos esbarrávamos eventualmente parecia que saltavam fagulhas de nossos corpos.

– Que apartamento gostoso! – ele disse ao entrar na sala.

Foi até o som e escolheu um disco de Rosa Passos – *Romance*. A música suave e romântica invadiu a sala. Acomodou-se no sofá e pegou uma revista sobre a mesa.

– Penso que é a maior cantora do Brasil – disse. – É João Gilberto de saias.

Entrei na cozinha e ele veio atrás de mim. Comecei a preparar o café. Coloquei a chaleira com água no fogão e fui procurar o vidro com o pó. Quando abri o armário Francisco me abraçou subitamente, beijando minha nuca, minhas orelhas; virando-me, beijou meu rosto, minha boca. Trazia uma fome infinita. Entreguei-me totalmente àquele delírio. Abracei-o com todas as minhas forças e me deixei envolver na vertigem dos seus carinhos. Não falávamos nada. Nada precisava ser dito. Tudo se explicava por meio do arrebatamento com que nos descobríamos um ao outro. Era um deslumbramento. Como eu conseguia resgatar uma sensualidade adormecida há tanto tempo era um mistério que não conseguia desvendar. Uma euforia invadiu-me e quis extravasar todo o desejo que sufocara por tanto tempo.

Afastei qualquer timidez e qualquer inquietação da consciência, remorso, hesitação ou incerteza. Em meio àquele encantamento, duvidava de que tudo aquilo estivesse realmente acontecendo. Para me certificar de que era verdade, me afastava um pouco e observava o rosto de Francisco bem próximo do meu. Consciente da nossa insensatez, mergulhava nos seus braços num louco desvario. Nossos beijos ardentes revelavam todo o fascínio que tínhamos despertado um no outro. Sua barba deslizava suavemente no meu rosto, provocando em minha pele uma leve vibração, um estremecimento que descia pela minha coluna vertebral e tomava todo o meu corpo. Estendi o braço e desliguei discretamente o fogão em que a água fervia indiferente às nossas extravagâncias. Francisco foi desabotoando minha blusa lentamente. Jogou longe meu sutiã e acariciou meus seios. Tive um pouco de acanhamento, pois ele podia observar que já não eram jovens. Mas ele os beijou sofregamente, como se bebesse um licor sagrado, como se saciasse uma sede de muito tempo. Deslizamos para o sofá da sala e nos deitamos completamente nus, sempre abraçados, colados um no outro.

– Há quanto tempo eu te desejava! Isso é uma ressurreição! Estou nascendo de novo! – foram minhas primeiras palavras.

– Eu também te queria muito, desde o dia em que te conheci.

Suas mãos percorriam todo o meu corpo com suavidade. Apreensiva com nossa diferença de idade, preocupava-me com a sua provável percepção de que minha pele já não fosse tão rígida. Mas Francisco não parecia estar ligado nessa diferença e demonstrava sua excitação e sua virilidade sem restrições. Beijou-me o corpo inteiro, percorrendo dos meus seios ao meu ventre, até chegar aos meus pés com veneração. Voltava ao meu pescoço e beijava-me o rosto e a boca com voracidade. Sua mão buscava meu sexo com avidez e com movimentos constantes provocava meu desejo cada vez mais impaciente. Acariciei suas costas, suas nádegas, seu rosto, sua pele jovem e sua barba perfumada de lavanda. Nossos corpos se misturavam em movimentos harmoniosos. Meu coração disparado impedia qualquer incerteza. A sedução de Francisco invadia todos os espaços do meu pensamento. O mundo lá fora deixava de existir e apenas importava aquele desatino em que estávamos submersos. Murmurava aos meus ouvidos:

– Que maravilha! Que sonho bom!

De joelhos junto ao sofá, ele voltou-se para minhas costas e mordeu minha nuca, foi deslizando seus beijos até o sul do meu corpo. Inebriada, ultrapassava todos os limites do meu discernimento. Voltou para junto de mim e me abraçou. Agradecia aos céus ter chegado a viver esse momento sagrado de comunhão. Minha alma enlevada se deixava arrastar naquele êxtase em que pele, carne, pelos, saliva, suor se confundiam e se mesclavam na mesma substância etérea.

Foi então que me ajoelhei no chão e, imitando seus gestos, adorei o seu corpo, centímetro por centímetro, beijando-o fervorosamente, como se fosse uma oração diante de um deus presentificado. Desvendei mistérios sob cicatrizes, procurei marcas deixadas na infância, alisei a penugem sedosa que envolvia suas coxas, beijei seus pés másculos. Sequiosa de provocar seus sentidos, toquei com meus lábios toda a sua extensão. Senti seu tremor e percebi toda a sua pele eriçada.

Voltei a me deitar ao seu lado, aninhada em seus braços, que me enlaçaram carinhosos. Ele veio sobre mim e se encaixou entre minhas pernas, procurando o meu sexo úmido. Penetrou-me com suavidade. Eu via ondas do mar se quebrando na areia fina. Buscamos um êxtase total. Comecei a ficar surda, zonza, embriagada de prazer. Senti-me completamente integrada à natureza quando numa dança sensual explodi num clímax de sensações indescritíveis. Arrebatada naquela volúpia, desliguei-me de tudo ao redor. Senti a enxurrada que vinha das suas entranhas e se despejava em mim como uma alucinação. Era uma epifania. Estávamos no nirvana. Seu corpo tenso caiu em relaxamento. Ficamos assim, abraçados, ligados pela carne e pelo espírito. Dissolvidos todos os nossos limites, era como se fôssemos um só corpo, um só espírito. Anuladas todas as diferenças, nos transformamos numa mesma matéria.

O tique-taque do relógio suspenso no ar apagou todas as circunstâncias irrelevantes do cotidiano. Estávamos acima do bem e do mal. Nada mais poderia ser como antes. Tínhamos quebrado todas as censuras, todas as restrições, todas as convenções sociais. Eu era uma mulher entrando na terceira idade e ele um jovem senhor. Eu tinha uma história de sofrimento e perda que não podia ser ignorada ou apagada. Ele estava intacto em plena maturidade, com todo o futuro pela frente. Uma onda de sensações prazerosas invadia meus pensamentos. Veio um desejo de protegê-lo como a um filho, de satisfazê-lo como amante e companheira, de fazê-lo feliz.

– Está tudo bem com você? Está feliz? – ele me perguntou.

– Muito feliz. Encantada. Você foi maravilhoso. Sabe que há muito tempo eu não tenho uma relação amorosa, não é?

– Eu suspeitei disso.

Ficamos em silêncio, abraçados. Ouvíamos apenas a nossa respiração. Francisco acariciava meu rosto, meus cabelos, e me beijava suavemente.

– Estou com muita fome. Vamos comer alguma coisa?

– Eu também. Um café agora ia muito bem.

Procurei um robe para mim. Fomos para a cozinha e recomecei a passar o café. Nos sentamos e fizemos um lanche com café, pão de queijo e a torta salgada. Fomos comendo devagarinho, entre sorrisos e olhares carinhosos.

– Desde que meu marido desapareceu que eu não me relacionei com ninguém.

– Meu Deus! Você é uma mulher tão atraente! Tão sensual! Como deixaram você ficar sozinha tanto tempo?

– Acho que eu não permiti que se aproximassem de mim. Estava fechada para qualquer forma de intimidade. Estou até um pouco surpresa comigo mesma. Não pensei que tudo isso pudesse ainda acontecer.

Fomos para minha cama e nos deitamos. Francisco começou a me acariciar e mergulhamos novamente em um torvelinho de paixão. Dormimos exaustos, enlaçados um no outro até o amanhecer. O canto dos passarinhos na árvore perto da minha janela nos acordou cedo. A princípio ficamos silenciosos, ouvindo a sonoridade que vinha de fora. Depois, conversamos um tempo na cama. Falamos de música e de cinema. Conferimos nossas preferências comuns numa doce intimidade. Peguei um livro de poemas na cabeceira da cama e li para ele um texto de W. B. Yeats:

Had I the heavens' embroidered cloths,

Enwrought with golden and silver light,

The blue and the dim and the dark cloths

Of night and light and the half-light,

I would spread the cloths under your feet;

But I, being poor, have only my dreams;

I have spread my dreams under your feet;

Tread softly because you tread on my dreams.[1]

Francisco ficou pensativo. Suspirou e disse

– Lindo! Eu amo Yeats. Adorei ouvir na sua voz.

---

1 Se eu tivesse as roupas bordadas dos céus,
envolvidas com luz dourada e prateada,
O azul e o escuro e as roupas escuras
Da noite e da luz e da meia luz,
Eu as estenderia sob seus pés;
Mas eu, sendo pobre, tenho apenas os meus sonhos;
Eu espalhei meus sonhos sob seus pés;
Pise suavemente porque você pisa em meus sonhos.

Entramos juntos no chuveiro. Francisco ensaboou meu corpo como se eu fosse uma criança. Deixei a água morna escorrer sobre minha pele rejuvenescida pelos carinhos dele.

Depois do banho, preparei um café, servi frutas, geleia, queijo e torradas. Francisco estava faminto e devorou tudo com apetite. Combinamos de nos encontrar na livraria à noite. Ao se despedir, abraçou-me longamente, beijando meus cabelos ainda molhados.

Naquele dia trabalhei com uma alegria que há muito não me inspirava. As pessoas que eu encontrava elogiavam minha disposição e meu ânimo. Parecia que estava iluminada por uma aura de felicidade e plenitude contagiante.

À noite nos encontramos na livraria e ele quis que eu fosse até seu apartamento, que era perto dali. Fomos andando de mãos dadas pelas calçadas cheias de gente. Uma enorme ternura invadia meu coração e eu me sentia agradecida por aquele amor tardio.

No elevador ele me beijou longamente. Abriu a porta e esperou que eu entrasse primeiro. Foi acendendo as luzes. A sala era forrada de estantes de livros. Havia um confortável sofá azul e uma televisão moderna; um aparelho de som cercado de CDs instalado num móvel antigo, uma mesa de refeição de quatro lugares. Num recuo se via a cozinha aberta para a sala. Apenas um quarto e um banheiro completavam o apartamento. Aconchegante mas um pouco desarrumado. Roupas, sapatos e jornais espalhados. A cozinha tinha louça suja na pia. Ele tentou desajeitadamente recolher as coisas espalhadas pela sala, me dizendo:

– Fique à vontade. Vou dar um jeito nisso tudo.

Levou as roupas e sapatos para o quarto e voltou rapidamente. Colocou um CD de jazz para tocar. Abraçou-me no sofá e nos entregamos ao amor.

Muitos dias se sucederam em que vivíamos um encantamento constante. Estávamos alegres com as descobertas mútuas e com a convivência harmoniosa que ia se estabelecendo entre nós. Algumas noites ele dormia na minha casa, mas não com frequência.

Numa manhã ensolarada de quinta-feira, eu perguntei:

– Quer ir comigo ao aeroporto buscar a Vitória? Ela chega daqui a meia hora.

– Ok. Vamos indo, então. Você acha que ela vai nos aprovar? Ou fará restrições ao nosso relacionamento?

– Não sei. Tenho dúvidas. Tudo pode acontecer. Ela é moderna, mas rígida. Sempre foi exigente com comportamentos. Tanto que até agora está solteira e não tem um companheiro. Não sei como é a vida amorosa dela. Já teve uns namorados, mas nada que dure muito.

– Estou um pouco apreensivo.

– Fique tranquilo. Vamos ver o que acontece.

Quando chegamos ao aeroporto, estacionamos e nos dirigimos ao saguão de desembarque. Em pouco tempo Vitória se aproximou. Abraçou-me calorosamente.

– Este é Francisco. Esta é Vitória.

– Prazer em conhecê-lo, Francisco.

– O prazer é meu, Vitória. Sua mãe fala sempre em você.

– Vim passar o fim de semana prolongado para matar as saudades. Vamos indo?

No caminho conversamos sobre o clima. Quando as pessoas não sabem o que falar, conversam sobre o clima. É uma forma de adiar questões mais delicadas e preencher o silêncio. Francisco se despediu na porta do meu prédio, alegando ter trabalho pela frente. Beijou-me o rosto discretamente. Penso que para dar a entender que tínhamos uma relação mais íntima. Subimos para o apartamento e, ainda no elevador, Vitória foi logo dizendo:

– Mamãe, não me diga que está namorando esse garoto. Você tem idade para ser mãe dele. Eu não acredito que depois de tanto tempo sozinha você se aventura com um homem tão mais jovem.

– Você vê algum problema nisso? Não imaginei que fosse tão conservadora.

– Não é isso, mamãe. Estou um pouco chocada. Não esperava essa novidade. Pensei que a senhora já estivesse aposentada de relações amorosas. Acostumei-me a vê-la como a viúva de um homem desaparecido. Não consigo imaginá-la com outra pessoa. A falta que meu pai me faz volta com toda a força. Parece que estamos traindo a memória dele. A senhora não sente isso?

– Sofro até hoje a falta dele. Foi muito difícil para mim aceitar viver essa experiência. E na verdade ainda não superei todos os obstáculos. Mas Francisco foi delicado e compreendeu meus bloqueios. Agora começo devagar a aceitar que ainda estou viva e posso usufruir do afeto e da companhia de uma pessoa que gosta de mim.

– Mas tinha de ser com um homem pouco mais velho que eu? Não podia ser com alguém da sua idade?

– Não apareceu ninguém da minha idade com quem eu tivesse alguma afinidade. E o que aconteceu comigo e com Francisco não foi deliberado por mim. Foram as circunstâncias que favoreceram nosso encontro.

– Por favor, enquanto eu estiver aqui, não o receba em casa. Combinado? São poucos dias. Não estou pronta para assistir a cenas românticas entre minha mãe e um jovem senhor.

Assustei-me com a reação de Vitória. Não calculava que poderia rejeitar de forma tão veemente meu relacionamento com Francisco. Quando ela saiu para dar uma caminhada pelos arredores, telefonei para ele:

– Francisco, está difícil. Vitória reagiu muito mal. É melhor esperarmos que ela aceite você na minha vida.

Como sempre, ele foi cordato:

– Claro. Eu compreendo. Vamos esperar que ela repense essa questão e mude de ideia. Eu estou aqui. Não se preocupe comigo. Estarei sempre aqui à sua espera.

Paula veio para o jantar, ansiosa por rever Vitória. As duas se abraçaram carinhosamente. Deixei-as à vontade e fui para a cozinha preparar a salada.

– Como você está bonita, Vitória! Quanta saudade! Cada dia mais elegante... – disse Paula, afastando-se para observar melhor a minha filha. Seu olhar afetuoso deixa Vitória um pouco sem graça.

– São seus olhos, Paula! Sempre generosa! Sempre tão querida! Você está sabendo da novidade? Mamãe está namorando um garoto que poderia ser meu irmão. Ele foi me buscar no aeroporto. Mas ainda bem que não ficou por aqui.

A hostilidade e a irritação na voz de Vitória eram evidentes. Paula ficou alguns minutos silenciosa e, respirando fundo, falou delicadamente:

– Vitória, sua mãe tem o direito de procurar viver um novo afeto. Há muitos anos que está sozinha. Aposto que já até tinha esquecido como é beijar. Ela ainda é uma mulher bonita e sedutora. Esse menino pode muito bem estar apaixonado. Deixe-a viver esse amor em paz. Você não pode se opor a esse sentimento que nasceu espontaneamente entre os dois. É uma chance de alegria e felicidade. Não vai fazer mal a ninguém, os dois são livres, independentes.

– Ainda estou sob o efeito do choque. Não esperava por isso. Nunca imaginei que pudesse acontecer alguma coisa assim com ela. Preciso me acostumar com a ideia.

– Pois trate de se acostumar logo, porque esse romance tem tudo para dar certo. Nunca vi sua mãe tão feliz. E ele parece ser um bom sujeito.

– Sei que vou acabar entendendo. Mas não está fácil. Isso me afetou demais. Você sabe, eu tenho um temperamento rígido. Sei que sou inflexível. É um desvio de personalidade. Sou exigente e rigorosa em tudo na vida. Isso às vezes me atrapalha. Quero tudo perfeito. No meu trabalho sou perfeccionista, e vou às últimas consequências nas minhas pesquisas. Pode ser um cacoete de historiador, de pesquisador. Acho que isso está afetando até minha saúde. Tenho tido muitas dores nas articulações. Penso que é decorrência dessa tensão permanente. Estou tentando modificar um pouco essa atitude diante da realidade. Porque tudo é um pouco caótico, não é? É preciso ter tolerância com a imprevisibilidade, com o imponderável, com a desorganização natural da vida. Sei disso. Mas às vezes minha reação é involuntária.

Quando voltei à sala as duas se calaram momentaneamente um pouco desconfiadas. Depois de alguns instantes, começaram a falar das transformações da cidade, das novas lojas e restaurantes, das demolições, das mudanças no trânsito.

– De fato a cidade deve estar irreconhecível para você que vem pouco aqui, Vitória. Nossas tradições estão sendo esquecidas. Nem aquela sorveteria que frequentávamos tanto existe mais. A pizzaria de que você gostava também fechou. Milhares de academias vão tomando os lugares vagos. As igrejas evangélicas agora ocupam os antigos cinemas de rua. Restam apenas os cinemas dos shoppings. São tantos viadutos novos, tantas avenidas – disse, querendo entrar na conversa e amenizar o mal-estar entre nós duas.

– Isso acontece também em São Paulo. São tantas mudanças de um dia para o outro que às vezes eu me perco, não reconheço os lugares onde passei há poucas semanas. A especulação imobiliária está um horror. Não sobra um pedacinho de verde em lugar nenhum. Lindas casas antigas são demolidas sem dó para dar lugar a espigões. E o trânsito cada vez mais infernal. Sabem que mais da metade dos moradores de São Paulo desejaria viver em outro lugar? Eu gosto do tumulto. Não me acostumaria mais numa cidade tranquila demais.

– Pois eu gosto de antiguidades – disse Paula. – Adoro viajar para cidade antigas e conservadas. Por isso adoro a Europa. Ali parece que os anos não destroem a história. Quando fui a Portugal pela última vez, no ano passado, notei que lá eles conseguem modernizar sem destruir. As estradas são maravilhosamente modernas e as vilas continuam como eram há séculos. Conseguem modernizar o interior de construções antigas preservando seu aspecto exterior, as velhas fachadas.

Servi o jantar e comemos vagarosamente costeletas de porco com chutney de manga que eu mesma fiz. Saboreamos um bom vinho tinto. O clima entre mim e Vitória foi se suavizando pouco a pouco. Voltamos a ser afetuosas uma com a outra. Antes de ir dormir ela me abraçou carinhosamente. Selamos assim um pacto de solidariedade.

No dia seguinte ela teve um compromisso no Ministério da Justiça. Ainda acompanhando os processos de investigação do desaparecimento do pai. Quando voltou para casa sugeriu que fôssemos à livraria do Francisco. Eu me surpreendi com a proposta, mas compreendi que era uma trégua, uma ponte para desfazer o enfrentamento do dia anterior. Peguei um agasalho e a bolsa e saímos caminhando silenciosamente. Quando chegamos, Francisco estava arrumando livros numa estante. Vitória se aproximou amigavelmente, dizendo:

– Então é aqui o templo dos livros? É o paraíso dos leitores vorazes, como minha mãe. Tudo bem com você? Quero ver sua estante de livros de história do Brasil.

– Oi, Vitória! Seja bem-vinda! Os livros de história ficam ali, à direita. Acho que vai encontrar muita coisa interessante. Fique à vontade. Oi, Ângela, que surpresa! Você nunca vem aqui à tarde! – disse, beijando minha testa.

– Tirei o dia de folga para ficar com Vitória, e ela mesma sugeriu que viéssemos à livraria. Parece que se conformou e quer amenizar o mal-estar de ontem. Quer que eu o ajude? Posso colocar os livros para você.

Fui organizando os livros na estante silenciosamente. Francisco se aproximou de Vitória e ficaram conversando sobre os autores que analisavam o Brasil contemporâneo.

Ela escolheu dois títulos e se encaminhou para o caixa.

– De jeito nenhum você vai pagar. São um presente meu para você.

– Faço questão; não quero contribuir para a sua falência. Todas as livrarias pequenas, que não fazem parte de grandes redes, estão fechando. Há uma crise geral no país. Controle-se e receba direitinho.

– Está bem, mas eu ofereço um café. Acabamos de abrir uma sessão de lanches aqui. Ângela, venha tomar café, ou então um chá, como você gosta.

Falou isso e foi se dirigindo a uma mesa. Pediu à garçonete que trouxesse o cardápio.

Ele gentilmente nos serviu. Vitória quis um café e eu tomei um chá mate.

– Estou com vontade de abrir uma sessão de livros usados. O que você acha, Vitória?

– Não tenho tino para negócios, Francisco, mas sei que hoje em dia o sebo virtual faz muito sucesso. Você poderia se associar a eles. Eu mesma compro muitos livros usados pela internet. Às vezes os livros estão esgotados e o jeito é comprar num sebo. Em São Paulo há ótimos, e eu gosto de passar horas garimpando livros antigos.

Fiquei observando a conversa dos dois, sem interferir. Já pareciam grandes amigos. Francisco impressionava bem, e Vitória estava à vontade com ele. Sentia-me reconfortada com o clima de harmonia que se instalara. Mas, subitamente, comecei a considerar que faziam um bonito casal e que talvez fossem mais adequados um para o outro que eu e Francisco. Como eram bonitos!

Falavam com naturalidade. Sorriam. Olhavam-se. Algumas vezes Vitória tocava o braço de Francisco para concordar com ele ou para chamar sua atenção. Eu conhecia bem Vitória e sabia quando ela estava jogando charme, e não era o caso. Ela estava natural e espontânea. Seus gestos, sua voz, seus movimentos exprimiam sinceridade. A insegurança me invadia de forma sorrateira. Tentei sufocar a sensação desagradável pegando na mão de Francisco sob a mesa. Ele a acariciou suavemente e se voltou para mim. Li no seu olhar que ele estava feliz por ter sido aprovado. Nem era preciso uma palavra, pois subentendi o que ele queria dizer: "Veja como ela me aceitou, agora está tudo bem, podemos ir em frente". Mas mesmo assim continuei reticente, com uma sombra pairando sobre os meus sentimentos.

Saímos caminhando pela rua e vimos uma inauguração na esquina em frente à livraria. Era um grande shopping center.

– Vamos entrar aqui um pouco? Quero conhecer meus vizinhos – disse Francisco, sorridente.

Entramos, curiosos. Várias lojas de grife, uma larga praça de alimentação e uma livraria de uma grande rede. Percebi que Francisco ficou assustado. Aquilo com certeza poderia mesmo afetar o seu negócio, como Vitória tinha falado. Saímos sem tocar no assunto. Despedimo-nos na entrada do meu prédio. No dia seguinte almoçamos juntos, Francisco, Paula, Vitória e eu. Preparei um bacalhau que sabia ser a preferência dela desde menina. Conversamos amigavelmente sobre o trabalho dela em São Paulo e sobre os meus jardins. Dois dias depois ela voltou para São Paulo.

Eu e Francisco passamos a nos ver todos os dias. Às vezes eu dormia na casa dele, às vezes ele dormia na minha casa. Íamos ao cinema, jantávamos em algum pequeno restaurante charmoso, ele visitava os jardins em que eu estava trabalhando, eu o ajudava na livraria, comentávamos os livros que líamos, ouvíamos música, víamos televisão, às vezes cozinhávamos juntos. Minha vida estava completamente transformada. Francisco entrara de uma vez por todas no meu cotidiano. Tudo se modificou. Agora ele era minha referência principal. O que eu fazia no trabalho precisava comentar com ele, pedir sua opinião, ouvir seus conselhos. Envolvi-me inteiramente na doçura da convivência com ele. Sua companhia preenchia todas as minhas horas livres.

E eu tinha ciúmes. Quando entrava na livraria e o via conversando com alguma moça, ficava transtornada, mesmo sabendo que devia ser uma compradora. Tentava disfarçar e controlar esse sentimento, mas era quase impossível. Sentia-me insegura, fragilizada. Qualquer uma delas poderia tomar o meu lugar, poderia atraí-lo, seduzi-lo com muito mais vantagens que eu. Além disso, as mulheres tinham conquistado uma liberdade que permitia que tomassem com segurança iniciativas nunca antes admitidas. Ofereciam-se às claras. E Francisco tinha um jeito carinhoso de tratar as pessoas, sempre disposto a ouvi-las atentamente, o que era cativante. Eu o admirava por essa qualidade. Entretanto, tal atitude abria espaço para que as garotas se aproximassem com naturalidade, mas provavelmente com segundas intenções.

O ciúme era uma sensação contraditória, porque ao mesmo tempo em que eu tinha certeza dos seus sentimentos, era como se vivesse constantemente à beira de um abismo no qual a qualquer hora poderia me precipitar. Incrível como não somos donos de nossas emoções e reações. Parece que há uma segunda alma que nos conduz e nos dirige, alheia à razão e às tentativas de controle intencional. Algumas vezes Francisco, ao perceber minha insegurança, dizia:

– Ângela, eu escolhi você. É com você que eu quero dividir meu tempo. Não me interessam outras mulheres. Esqueça esse ciúme. Não há motivo.

Do lado dele também havia alguma insegurança. Ao ver os álbuns de fotografia que eu deixava sempre sobre a mesa de centro na sala, ele me perguntava quem eram aquelas pessoas, o que eu sentia em relação a elas, e depois ficava silencioso, como se estivesse digerindo todas aquelas informações sobre o meu passado.

Uma noite, estávamos assistindo ao filme *Cidadão Boilesen*, de Chaim Litewski, pela televisão. Focalizava um empresário que tinha financiado a tortura nos anos da ditadura militar. De repente comecei a chorar convulsivamente. Francisco acariciou minha cabeça e disse:

– Quer que eu desligue? Podemos mudar de canal. Podemos procurar outro filme. Não fique assim. Isso tudo já passou.

Sufoquei meu choro e ainda com soluços respondi:

– Não, Francisco. Quero ver até o fim. Nada disso passou. Tudo está aqui ardendo dentro da minha memória. Não é uma história que se apaga com os anos. Não se apaga nunca. É como se fosse ontem.

Francisco calou-se e vimos o filme completo. Ele ficou sem saber o que fazer comigo. Não sabia se comentava o filme, se conversava sobre a ditadura, se me fazia perguntas. Não conseguia lidar com sentimentos tão intensos e alheios à sua experiência de vida. Eu me fechei, silenciosa e triste por remoer lembranças tão terríveis.

Nos fins de semana ficávamos muito tempo juntos. Nossas diferenças iam se tornando mais evidentes com a convivência. Eu me mostrava mais rígida, menos flexível, mais organizada e metódica. Tinha hora certa para acordar, hábitos arraigados, como tomar banho logo que pulava da cama, arrumar minhas roupas com cuidado, tomar café silenciosamente, fazer uma agenda prévia do dia que teria pela frente, checar minhas contas e marcar tudo num calendário rigoroso de compromissos, conferir minhas mensagens no computador e respondê-las com pontualidade.

Francisco era diferente. Gostava de ficar se revirando na cama até mais tarde. Adiava o banho para qualquer hora do dia e deixava a toalha molhada sobre qualquer móvel. Às vezes nem tomava café da manhã. Jogava jornais, roupas e livros pelo chão onde estivesse, despreocupado com a ordem da casa. Eu ia contornando com paciência meu desagrado e arrumando sua bagunça. Ele ficava horas ao telefone conversando tranquilamente com amigos e amigas. Despendia muito tempo nas redes sociais e não se afastava do celular.

Uma tarde de sábado ele demorou-se falando com uma moça que eu não conhecia. Lembrava situações passadas, amigos comuns, festas, encontros, passeios. Gargalhava, imerso naquele diálogo, distraído da minha presença. Eu estava na cozinha lavando a louça do almoço, e aquela intimidade foi me incomodando, deixando-me insegura e mal-humorada. Passei horas um pouco aborrecida, sem puxar conversa e sem responder direito às suas perguntas. Ele percebeu e veio me agradar com abraços e beijos. Pediu desculpas e tentou me tranquilizar dizendo que me amava e que não gostava de me ver triste. Fazia promessas de ter mais cuidado com suas conversas e me dar mais atenção. No entanto, voltava a se pendurar no telefone imediatamente. Ali estava a grande diferença na maneira de levar a vida que ressaltava nossas idades. Eram atitudes leves, de jovem despreocupado, um pouco inconsequente.

Numa noite em que Francisco dormia comigo, eu tive um pesadelo e acordei gritando. Ele se assustou e me abraçou, tentando me acalmar.

– O que foi? Teve um sonho ruim?

– Danilo, que bom que você está aqui comigo – eu disse sonolenta.

– Não sou Danilo, sou Francisco.

Nesse momento acordei completamente e, envergonhada, falei:

– Oh, meu Deus! Não sei o que houve. Desculpe-me.

– Claro, não se preocupe. Acalme-se. Vou buscar um pouco de água com açúcar para você.

Francisco levantou-se, foi até a cozinha e me trouxe um copo de água açucarada. Tomei devagar, observando-o. Percebi que estava desapontado, desconfortável, constrangido. Aquela confusão mental em que me vi envolvida tinha provocado nele um turbilhão de sentimentos contraditórios.

– Ângela, o que houve? Danilo ainda é tão vivo assim na sua memória? Será que eu ainda não ocupei todos os espaços do seu coração? Você tem que se libertar. Tem que superar o que te atormenta. Tudo isso passou. Tudo ficou para trás. Estamos vivendo outra época. Você é outra pessoa. Tem uma vida, tem uma nova história. Numa vida nós vivemos várias vidas. Cada uma deixa outras para trás, apaga o que veio antes. Começa-se várias vezes numa mesma existência.

– Não é nada disso, Francisco. São lembranças escondidas no inconsciente que vêm à tona sem que possamos controlar. Eu não consigo me libertar dessas marcas da minha juventude. São feridas profundas que não se fecham facilmente. Voltam a me atormentar quando eu menos espero. É involuntário, mas faz parte de mim. Não se aborreça, por favor.

Ele me abraçou e voltamos a dormir.

As vendas da livraria começavam a diminuir e Francisco passou a ter dificuldade de saldar os compromissos com as editoras. Devolvia muitos livros e atrasava o pagamento das encomendas. Demitiu dois funcionários e incrementou o café, que era o que assegurava algum ganho financeiro. Quando chegava o fim do mês, eu percebia que ele ficava atordoado com as contas a pagar. Chegou a pedir um empréstimo no banco para pagar em suaves prestações. Mas os juros eram altos e o dinheiro saía realmente muito caro. Foi se equilibrando durante alguns meses. Até que a situação ficou insustentável.

Francisco decidiu, depois de muitas incertezas, fechar a livraria. As vendas iam mal demais depois que se instalara no shopping aquela grande livraria. Mesmo com todos os esforços para promover ofertas especiais, eventos, lançamentos, debates, o negócio não se sustentava mais. Ele fez uma grande liquidação e começou a saldar os compromissos com as distribuidoras e editoras. Escolhi muitos livros e fiz questão de pagar o preço justo. Foi uma oportunidade de selecionar textos que há algum tempo desejava ler e guardar para futuras leituras.

Francisco andava atormentado e nervoso. Nunca eu o vira assim, mas compreendia que o fracasso financeiro afeta profundamente o humor de quem está perdendo o chão. Colocou à venda a firma e as instalações, e enfrentou dificuldades até resolver tudo, porque os interessados ofereciam valores baixos diante das pequenas possibilidades de alavancar novamente o negócio que já se mostrara pouco lucrativo, insustentável. Uma tristeza profunda foi tomando lugar da alegria a que eu estava acostumada. Era um sonho fracassado, frustrado. Um grande vazio abria-se à sua frente. Um horizonte nebuloso se anunciava como futuro.

Meu trabalho, ao contrário, se consolidava a cada dia. Novos contratos surgiam, ofertas promissoras de projetos grandiosos. Até mesmo ganhei um prêmio de projeto paisagístico da Associação Nacional de Profissionais de Paisagismo por um parque público urbano que eu executara. Uma revista nacional importante fez uma reportagem sobre o meu trabalho, com fotos e entrevista. Tentei não valorizar muito esse reconhecimento, tratei tudo com naturalidade. Não queria evidenciar um contraste entre minha trajetória e a de Francisco num momento em que ele estava tão frágil, abatido, precisando tanto do meu apoio.

Ajudei no que pude, e ofereci a oportunidade de comprar a livraria para meus clientes de paisagismo. Um deles, que era um intelectual produtivo, interessou-se e, depois de muita negociação, terminou por adquirir a firma. Francisco estava desolado, embora tivesse conseguido sair de tudo recuperando um bom capital. Mas ele não fazia planos, não imaginava que iniciativa poderia tomar dali em diante. Estava tão atordoado que não gostava de conversar sobre o assunto.

– Vamos deixar esse turbilhão passar, depois falaremos disso. Por enquanto sou um aposentado precoce.

Seguiram-se noites mal dormidas, em que se revirava na cama irrequieto. Eu sentia que ele estava infeliz, desconfortável, enfrentando dúvidas e incertezas tenebrosas. Nessa atmosfera depressiva, meus pesadelos voltaram com força total e muitas vezes eu acordava chorando. Sei que em várias ocasiões chamei em voz alta por Danilo. Francisco não tinha forças para me apoiar, pois estava imerso nos próprios problemas.

Tentávamos aproveitar o tempo livre para comentar nossas leituras. Francisco era um leitor atento, sensível e apaixonado. A cada livro lido comentava com perspicácia o estilo, a construção narrativa, o delineamento dos personagens, o enredo, as ideias e as concepções de vida demonstradas pelo autor. Comparava um autor com outros, um livro com outros de forma articulada. Nesses momentos eu o admirava com devoção. Encantavam-me suas análises e o seu raciocínio lógico. Muitas vezes silenciosa, acompanhava seu pensamento lúcido como se fosse uma aula de interpretação. Saboreava, embevecida, suas palavras. Eram momentos inebriantes, verdadeiras epifanias intelectuais envolvidas em afeto e admiração.

Numa tarde tranquila, tivemos uma longa conversa sobre o livro *A lebre com olhos de âmbar*, de Edmund Waal, o ceramista que ficou fascinado ao encontrar duzentas e sessenta e quatro miniaturas japonesas – netsuquês – em Tóquio, no apartamento de seu tio-avô, Ignace. Mais tarde, quando Edmund herdou-as, elas revelaram uma história muito mais ampla do que ele imaginara... De um florescente império em Odessa até a Paris do fin-de-siècle, da Viena ocupada à Tóquio contemporânea, Edmund de Waal refaz, ao longo do conturbado século XX, a jornada dessa coleção de miniaturas japonesas. O livro é uma verdadeira história da arte.

– Você é um crítico literário competente. Poderia começar uma carreira publicando resenhas nos jornais. Comece oferecendo colaborações gratuitas e depois o jornal vai te contratar, com certeza – eu disse.

– Imagine! Eu não tenho informação técnica suficiente. Meu curso de jornalismo não é suficiente para sustentar minhas opiniões. São apenas impressões pessoais de um leitor compulsivo. Há muita teoria que eu desconheço, e não posso invadir o terreno de especialistas. Além disso, o espaço para a literatura nos jornais está cada vez menor.

– Então você pode ter um canal no YouTube sugerindo leituras. As editoras vão procurá-lo e remunerar cada resenha. Acho que é assim que funciona.

– Pode ser. Vou pensar nisso. Obrigado pela ideia.

Eu continuava meu trabalho de criação de jardins. Cada vez mais solicitada, mergulhava no planejamento, na execução e no acompanhamento e manutenção de diversos projetos. Envolvida no trabalho, fui deixando os problemas de Francisco em segundo plano. Senti que ele precisava de tempo para se reestruturar tanto pessoal como economicamente. Assistia a distância suas transformações. Nosso cotidiano continuava suave. Era uma convivência tranquila e cheia de ternura.

Francisco, que inicialmente se declarava agnóstico, começou a interessar-se por leituras místicas, por budismo e por meditação. Mergulhou em todos os livros de Herman Hesse. Leu Joseph Goldstein, Jack Kornfield e Thich Nhat Hanh. Passou a frequentar assiduamente um templo budista e ficava horas meditando. Foi abandonando pouco a pouco o telefone celular, as redes sociais e o computador. Eu observava suas mudanças de interesse e compreendia sua busca. Era uma nova etapa em sua vida e comecei a me sentir gradativamente excluída do seu solitário percurso individual.

Duas pessoas são dois mundos diferentes, com concepções de vida, memórias, experiências, hábitos, sonhos, desejos, ambições, interesses, ritmos diversos. Quando esses mundos se encontram e há alguma afinidade, uma fagulha de comunicação se estabelece e por um tempo caminham juntas na mesma direção. Mas as estradas se bifurcam e surgem desencontros, às vezes temporários, às vezes definitivos. É difícil manter a sintonia quando novos apelos divergentes se consolidam.

O fim de semana se arrastava monótono e quente. Pela janela entrava uma brisa morna. Francisco saíra para mais um período de meditação no templo budista.

Eu estava deitada no sofá da sala lendo *Pergunte ao pó*, de John Fante, e ouvindo Rosa Passos quando ele voltou. Percebi que estava um pouco constrangido e que em seu rosto havia uma sombra de melancolia. Levantei-me para abraçá-lo.

– Olá, está tudo bem?

– Sim. Tudo bem.

Nosso abraço teve um gosto estranho. Ele acariciou os meus cabelos e me olhou nos olhos. Pegou o livro em cima do sofá e disse:

– Este livro que você está lendo é ótimo. Li tudo do Fante que me caiu às mãos. Sabe que ele influenciou muito o Bukowski e a geração beat?

– É, sei, li o prefácio que o Bukowski escreveu.

Francisco ficou um tempo silencioso. Olhava ao redor os discos, os livros, os objetos sobre a mesa de centro, os quadros na parede, como se quisesse gravar na memória cada detalhe daquele espaço em que tínhamos nos amado tanto. Servi um chá com torradas e ficamos calados por um tempo no sofá.

A atmosfera estava densa, pesada, como se o ar tivesse se transformado numa massa sólida. Mil indagações vinham à minha mente, e meu coração estava inquieto de angústia e desconforto. Um pressentimento perturbador rondava meus pensamentos. Fui até a janela e respirei profundamente. Francisco veio até mim e me abraçou.

– Estou partindo. Não sei quando volto. Vou para o Tibete. Sempre quis passar um tempo meditando. Já está tudo organizado. Viajo hoje à noite. Quero que você fique bem. Sua vida está organizada, seu trabalho é ótimo, você tem suas lembranças. Até porque Danilo ainda está vivo no seu coração. Acho que não vou fazer falta.

– Vai, sim, vai fazer muita falta. Mas quero que viva intensamente essa experiência no oriente. Vai te fazer bem. Eu sempre pressentira que nossa história seria assim, interrompida de repente. Mas agradeço por tudo que vivi.

Beijou-me e então saiu.

Era uma tarde quente de verão, mas eu comecei a sentir frio.